Judy Blume

FUTSCH – Der Wahnsinn geht weiter

Danksagung

Ganz herzlichen Dank an Dr. Bob Hoage, Leiter des Büros für Öffentlichkeitsarbeit am Zoologischen Garten in Washington, D. C., für eine persönliche Führung, die Elliot und ich nie vergessen werden. Vielen Dank auch dafür, dass er so umsichtig gefahren ist – ganz anders als Onkel Howie! Und vielen Dank auch an Lisa Stevens, die für die Pandas und Primaten im Zoologischen Garten verantwortlich ist – nicht nur dafür, dass sie uns mit Mei Xiang und Tian Tian bekannt gemacht hat, sondern auch dafür, dass sie mir die Anregung zu dem Panda-Kaka-Klub gegeben hat.

Judy Blume verbrachte ihre Kindheit in Elizabeth, New Jersey, und dachte sich schon früh lauter Geschichten aus. Das hat sich bis heute nicht geändert. Ihre bisher dreiundzwanzig veröffentlichten Bücher haben viele Preise gewonnen. Heute lebt Judy Blume mit ihrem Mann an der Ostküste der USA. Sie haben drei erwachsene Kinder und ein Enkelkind.

Panda-Kaka
Klub

Judy Blume

FUTSCH

Der Wahnsinn geht weiter

Aus dem Amerikanischen von Anne Braun

Klopp · Hamburg

Von *Judy Blume* sind im Klopp Verlag erschienen:

Forever – Geschichte einer ersten Liebe
Futsch – Der ganz normale Wahnsinn
Futsch – Der Wahnsinn geht weiter

Für meinen Enkel Elliot,
der so viel Freude in mein Leben bringt.

Die Originalausgabe erschien unter dem Titel
»Double Fudge«
First published 2002 by Dutton Children's Books,
a division of Penguin Putnam Books for Young Readers, New York
Aus dem Amerikanischen von Anne Braun
Einband von Eva Schöffmann-Davidov
Satz: Dörlemann Satz
Druck und Bindung: GGP Media, Pößneck
Printed in Germany 2004
ISBN 3-7817-0243-X

www.klopp.biz

INHALT

DER KNAUSER

Von einem Tag auf den anderen gab es für meinen kleinen Bruder Futsch, fünf Jahre alt, plötzlich kein anderes Thema mehr als Geld. »Du, Pit«, sagte er eines Abends, als ich gerade aus der Dusche stieg. »Wie viel muss man zahlen, wenn man New York kaufen möchte?«

»Die Stadt oder den ganzen Staat?«, fragte ich, als hätte er mir eine ganz normale Frage gestellt.

»Was ist größer?«

»Der Staat, aber alle interessanten Sachen befinden sich in der Stadt.« Leute, die nicht in der Stadt leben, mögen vielleicht anderer Meinung sein, aber ich bin irgendwie ein Stadtkind.

»Wir leben in der Stadt New York, stimmt's?«, fuhr Futsch fort. Er saß in seinem Schlafanzug auf der Toilette. Der Toilettendeckel war hochgeklappt.

»Hey, du musst doch wohl nicht gerade, oder?«, fragte ich, während ich mich trockenrubbelte.

»Was meinst du, Pit?«

»Ich meine, dass du auf der Toilette sitzt und die Schlafanzughose noch anhast.«

Er kickte mit den Beinen und begann zu kichern. »Keine Angst, Pit. Nur Tutzi macht noch in die Hose.«

Tutzi ist unsere kleine Schwester. Im Februar wird sie zwei.

Interessiert schaute Futsch zu, wie ich mir die nassen Haare kämmte.

Ich zog mir eine frische Boxershorts und ein T-Shirt an. »Gehst du noch wohin?«, fragte er.

»Ja, ins Bett.«

»Und wieso ziehst du dich dann an?«

»Ich ziehe mich nicht an. Ab heute gehe ich so schlafen. Wieso bist du eigentlich noch wach?«

»Ich kann erst schlafen, wenn du es mir gesagt hast, Pit.«

»Was gesagt?«

»Na, wie viel es kostet, die Stadt New York zu kaufen.«

»Hm, die Holländer haben damals vierundzwanzig Dollar bezahlt. Das war allerdings um 1600 herum.«

»Vierundzwanzig Dollar?« Ungläubig riss Futsch die Augen auf. »Mehr nicht?«

»Ja, war ein echtes Schnäppchen. Aber mach dir keine zu großen Hoffnungen. Dieser Preis gilt heute garantiert nicht mehr, selbst wenn New York zum Verkauf stünde, was sowieso nicht der Fall ist.«

»Woher willst du das wissen?«, bohrte er nach.

»Ich weiß es einfach, glaub mir.«

»Und woher?«

»Hör mal, Futsch …, wenn du erst mal zwölf bist, weißt du auch eine Menge, auch wenn du nicht mehr weißt, woher du es weißt.«

Er wiederholte, was ich gesagt hatte. »Weißt du auch eine Menge, auch wenn du nicht mehr weißt, woher du es weißt!« Dann lachte er sich halb tot. »Hey, das ist ja fast ein Zungenbrecher, nicht wahr?«

»Nein, Futsch, das ist die reine Wahrheit.«

Am nächsten Tag fing er schon wieder damit an. Im Aufzug fragte er Sheila Tubman: »Wie viel Geld hast du, Sheila?«

»So etwas fragt man nicht, Futschi«, erklärte sie ihm. »Höfliche Leute reden nicht über Geld, gerade in Zeiten wie diesen.« Sheila warf mir einen schiefen Blick zu, als wäre es meine Schuld, dass mein Bruder keine Manieren hatte. Ich hoffte sehr, dass sie im nächsten Schuljahr *nicht* in meine Klasse kommen würde. Das hoffe ich allerdings jedes Jahr und Jahr für Jahr taucht sie dann doch auf, wie eine Art Juckreiz, den man einfach nicht loswird, egal, wie lange man sich auch kratzt.

»Ich bin höflich«, versicherte ihr Futsch, »aber ich rede trotzdem gern über Geld. Willst du wissen, wie viel ich habe?«

»Nein«, antwortete Sheila. »Das geht niemanden etwas an außer dich.«

Er verriet es ihr trotzdem. Was hatte ich auch anderes erwartet. »Ich habe vierzehn Dollar und 75 Cent. Ich knausere es jeden Abend, bevor ich schlafen gehe.«

»Du knauserst dein Geld?«, fragte Sheila erstaunt. Dann blickte sie mich an und schüttelte den Kopf, als wäre es meine Schuld, dass mein kleiner Bruder seltsame Sachen sagte.

Henry, unser Liftboy, lachte. »Es geht nichts über einen Knauser in der Familie.«

»Es ist nicht gut, den Knauser zu spielen, Futsch«, sagte Sheila. »Aber wenn du so verrückt auf Geld bist, dann solltest du, wenn du groß bist, bei einer Bank arbeiten.«

»Stimmt«, sagte Futsch ernsthaft. »Ich kann bei einer Bank arbeiten und den ganzen Tag Geld knausern.«

Sheila seufzte. »Er begreift es nicht«, sagte sie zu mir.

»Er ist schließlich erst fünf«, gab ich zu bedenken.

»Fast sechs«, bemerke Futsch. Dann zupfte er Sheila am Ärmel. »Hey, Sheila ..., weißt du, wie viel die Bolländer für die Stadt New York bezahlt haben?«

»Die Bolländer?«, wiederholte Sheila. »Soll das eine Scherzfrage sein?«

»Nicht die *B*olländer«, sagte ich zu Futsch. »Die *H*olländer.«

»Das war Peter Minuit«, erklärte Sheila, Streberin, die sie ist. »Und er bezahlte die Wappinger-Indianer mit Glasperlen, nicht mit Geld. Außerdem hatten die Indianer nur die Absicht gehabt, ihr Land zu teilen, nicht, es zu verkaufen.«

»Teilen ist gut«, meinte Futsch. »Aber nicht bei Geld. Ich teile mein Geld nie. Mein Geld gehört alles mir. Ich liebe mein Geld.«

»So etwas sagt man nicht«, sagte Sheila. »Es ist widerlich. Wenn du so daherredest, wirst du nie Freunde finden.«

Inzwischen war der Aufzug unten in der Eingangshalle angekommen. »Dein Bruder hat keine Wertmaßstäbe«, sagte Sheila zu mir, während wir zur Eingangstür gingen. Draußen angekommen, marschierte Sheila, ohne uns noch eines Blickes zu würdigen, Richtung Broadway.

»Wie viel kosten Wertmaßstäbe?«, fragte mich Futsch.

»Nicht alles auf der Welt kann man kaufen«, erklärte ich ihm.

»Schade. Wäre besser.« Dann hüpfte er frohgemut um die Ecke und sang dabei vor sich hin: *»Geld, Geld, Geld … Ich liebe Geld, Geld, Geld …«*

Spätestens in diesem Moment wurde mir klar, dass wir ein Problem am Hals hatten.

»Es ist nur eine Entwicklungsphase«, meinte Mama wenig später, als ich sie darauf hinwies, dass Futsch neuerdings nur noch von Geld redete.

»Kann sein, aber es ist trotzdem peinlich«, antwortete ich. »Ich finde, ihr solltet etwas dagegen tun, ehe Futsch in die Schule kommt.«

Doch Mama nahm mich nicht ernst, bis Papa an diesem Abend beim Essen sagte: »Gibst du mir bitte das Salz rüber, Futsch?«

»Was bezahlst du mir dafür?«, fragte Futsch zurück. Der Salzstreuer stand direkt vor seiner Nase.

»Wie bitte?«, sagte Papa. »Ich habe dich nur um einen Gefallen gebeten. Ich wollte dir keinen Job anbieten.«

»Wenn du mir Geld gibst, gebe ich dir das Salz«, antwortete Futsch. »Wie wär's mit einem Dollar?«

»Wie wär's mit nichts?«, sagte ich, griff nach dem Salzstreuer und reichte ihn Papa.

»Das ist unfair, Pit!«, rief Futsch empört. »Papa hat *mich* gefragt, nicht dich!«

»Danke, Peter«, sagte Papa und er und Mama tauschten einen kurzen Blick aus.

»Na, hab ich es nicht gesagt?«, sagte ich zu ihnen. »Ich habe euch gesagt, dass wir ein Problem kriegen.«

»Was für ein Problem?«, wollte Futsch wissen.

»Dich!«, antwortete ich.

»Bich!«, trällerte Tutzi in ihrem Babysitz, während sie eine Hand voll Reis über den Tisch warf.

»Was ist der Unterschied zwischen Dollars und Dukaten?«, wollte Futsch am nächsten Morgen schon beim Frühstück wissen. Mit einem dicken, roten Filzstift malte er gerade ein Dollarzeichen nach dem anderen auf die Schachtel mit den *Cheerios*.

»Dukaten ist nur ein anderes Wort für Dollar«, erklärte ihm Mama und stellte die Müslipackung weg.

»Kein Mensch redet heute noch von Dukaten«, sagte ich. »Wo hast du den Ausdruck bloß her?«

»Großmutter hat mir eine Geschichte vorgelesen und der Mann in der Geschichte sagte zu seinem Geld immer Dukaten«, antwortete Futsch. »Er hatte fünf Dukaten und dachte, das sei eine Menge Geld. Ist doch lustig, oder nicht?« Er stopfte sich eine Hand voll trockener *Cheerios* in den Mund und spülte sie dann mit einem Schluck Milch hinunter. Er weigert sich standhaft, die *Cheerios* wie jeder normale Mensch in einem Schälchen mit Milch zu mischen.

»Fünf Dollar sind nicht zu verachten«, sagte Papa, der gerade mit Tutzi auf dem Arm in die Küche kam. »Ich erinnere mich noch gut, wie ich als Kind für ein Modellflugzeug gespart habe, das vier Dollar 99 Cent gekostet hat. Und das war damals eine ganze Menge.« Papa setzte Tutzi in ihren Babysitz und legte ein paar *Cheerios* vor sie. »Oh, jemand hat die Packung bekritzelt«, sagte er.

»Ja ..., der Knauser hat gelernt, wie man das Dollarzeichen malt«, erklärte ich ihm.

Es sollte nicht lange dauern, bis der Knauser damit begann, sein eigenes Geld herzustellen. »Futsch-Dukaten«, erklärte er uns. »Ich werde hundert Millionen Trillionen davon machen.« Und schon machte er sich mit einer Packung Filzstifte und einem Stapel farbigem Papier auf den Weg in sein Zimmer. »Bald habe ich so viele Futsch-Dukaten, dass ich mir die ganze Welt kaufen kann.«

»Warum fängst du nicht lieber ein wenig bescheidener an?«, schlug ich vor. »Wenn du gleich die ganze Welt auf einmal kaufst, hast du nichts mehr, worauf du dich noch freuen kannst.«

Er zog sein Näschen kraus. »Stimmt, Pit. Eine gute Idee. Ich glaube, ich fange mal mit *Toys 'R Us* an.«

»Das Kind hat keine Wertmaßstäbe«, sagte ich zu meinen Eltern, sobald Futsch im Bett war. Sie schauten mich an, als sei ich übergeschnappt. »Wirklich, hat er nicht«, bekräftigte ich. »Er ist total versessen auf Geld.«

»Nun ja, so würde ich das nicht ausdrücken«, meinte Papa. »Es ist nicht ungewöhnlich, dass kleine Kinder viele Dinge haben wollen.«

»Ich will auch viele Dinge haben«, erklärte ich Papa. »Aber ich renne doch nicht durch die Gegend und rede von nichts anderem mehr als von Geld.«

»Es ist nur eine Entwicklungsphase«, sagte Mama wieder.

Wir konnten hören, wie Futsch in seinem Bett zu trällern begann: *»Oh, Geld, Geld, Geld …, ich liebe Geld, Geld, Geld …«*

Kaum war Futschs Trällern verstummt, als Onkel Feder, sein Beo, anfing: *»Ooooh, Geld, Geld, Geld …«*

Turtle, mein Hund, hob den Kopf und begann zu jaulen. Er glaubt immer, er könne singen.

Papa rief: »Futsch, deck bitte den Vogelkäfig zu und schlaf!«

»Onkel Feder knausert sein Geld«, rief Futsch zurück. »Er will noch nicht schlafen gehen.«

»Womit haben wir das verdient?«, fragte Mama und schüttelte den Kopf. »Wir haben immer hart gearbeitet. Wir überlegen uns genau, wofür wir unser Geld ausgeben. Und wir reden vor den Kindern nie über Geld.«

»Vielleicht ist genau *das* das Problem«, sagte ich trocken.

NEUE SCHUHE UND ANDERE NEUIGKEITEN

Ein paar Tage vor Beginn des neuen Schuljahrs gingen wir zu *Harry's*, dem großen Schuhgeschäft am Broadway. Als Futsch drei war, wollte er immer dieselben Schuhe haben wie ich. Inzwischen hat er seinen eigenen Geschmack. Doch diesmal konnte er sich nicht zwischen schwarzen Schuhen mit silbernen Abnähern oder weißen mit blauen entscheiden; zwischen solchen mit Schnürbändern, mit Klettverschluss oder einfachen Slippern; zwischen knöchelhohen oder niedrigen Schuhen. »Dann nehme ich einfach zwei Paar«, erklärte er Mama. »Vielleicht auch drei.« Er schleckte an seinem gelben Lutscher, den er erbettelt hatte, noch ehe der Verkäufer seine Füße hatte messen dürfen.

»Du brauchst ein Paar normale Schuhe und ein Paar Winterstiefel«, sagte Mama mit einem Blick auf ihre Liste. »Und wenn du dich nicht endlich etwas beeilst, haben wir heute keine Zeit mehr für die Winterstiefel.«

Vor Futsch stand mindestens ein Dutzend offene Schuhkartons und der Verkäufer – auf seinem Namensschild stand Mitch McCall – schielte immer wieder auf seine Uhr, als müsse er dringend zu einer wichtigen Verabredung. Tutzi saß in ihrem Buggy und kickte wie wild um sich; vielleicht bewunderte sie aber auch nur ihre neuen Schuhe. Um Futsch die Entscheidung zu erleichtern, schlug ich ihm schließlich vor: »Warum nimmst du nicht einfach dieselben Schuhe wie ich?«

»Oh nein, Pit«, wehrte Futsch ab. »So cool sind deine neuen Schuhe nun auch nicht.«

»Wie meinst du das?«, fragte ich und starrte verblüfft auf meine Füße.

»Ich meine *cool*, Peter.«

»Was ist nicht cool an ihnen?«

»Nichts an ihnen ist cool.«

Oh je, könnte er vielleicht Recht haben?, fragte ich mich verwirrt. Habe ich zu schnell entschieden, nur um das Ganze hinter mich zu bringen? Das tue ich manchmal. Es ist stärker als ich. Ich hasse einkaufen. Aber sind meine neuen Schuhe wirklich so übel? So übel, dass meine Kumpels in der Schule mich auslachen und rufen werden: »Hübsche Schuhe, Hatcher. Wo findet man dieses Modell ..., im Müll?« Soll ich vielleicht besser noch ein anderes Paar anprobieren? Oder warten, bis Futsch sich entschieden hat, und dann ... Moment mal, sagte ich mir. Ich kann es nicht fassen, dass mir solche Gedanken durch den Kopf gehen. Als ob mein fünfjähriger Bruder besser wüsste als ich, was cool ist. Seit wann ist er ein Experte in Sachen cool? Seit wann ist er ein Experte in irgendetwas?

»Entscheide dich endlich, Futsch!«, sagte Mama.

»Ich kann nicht«, antwortete Futsch. Am rechten Fuß trug er ein anderes Modell als am linken. »Ich muss beide haben.«

»Ich zähle jetzt bis zwanzig«, sagte Mama und seufzte. »Dann musst du dich entschieden haben.«

»Nein, geht nicht«, sagte Futsch.

»Soll ich für dich entscheiden?«, fragte Mama hoffnungsvoll.

»Nein!«

Tutzi äffte ihn nach. »Nein!« Dann riss sie Futsch den gelben Lutscher aus der Hand und warf ihn durch die Gegend. Er traf Mitch McCall am Kopf, blieb in seinen Haaren kleben und baumelte dort wie eine Kugel am Weihnachtsbaum.

»Tutzi!«, rief Mama aus. »Das tut man nicht.« Doch Tutzi lachte nur und klatschte vor Freude in ihre klebrigen Händchen.

Mitch McCall verzog das Gesicht, während er sich den Lutscher aus den Haaren zog. Ein paar Haare blieben daran hängen, was ihn sichtlich betroffen machte, vermutlich, weil er ohnehin nicht mehr sehr viele hatte.

»Tut mir Leid«, sagte Mama und reichte ihm ein Erfrischungstuch aus ihrer Handtasche.

»Soll ich Ihnen nicht besser einen anderen Verkäufer rufen?«, sagte Mitch McCall, wobei er die Lippen so fest zusammenpresste, dass sie sich kaum bewegten.

»Nein«, sagte Mama. »Ich bin sehr zufrieden mit Ihrer Beratung.«

»Na schön«, knurrte Mitch McCall und kniete sich vor Futsch. »Also, wie sieht's aus? Hast du dich entschieden, welches Paar du haben möchtest, mein Sohn? Es sind noch mehr Kunden im Laden, die auf mich warten.«

»Ich bin nicht dein Sohn«, erklärte ihm Futsch empört.

»Das ist doch nur eine Redewendung, Futsch«, sagte Mama mit bewundernswerter Ruhe.

»Eine was?«, wollte Futsch wissen.

»Nicht so wichtig.« Mama schien mit ihrer Geduld auch bald am Ende. »Also, was ist nun, Futsch?«

Futsch zog einen Stapel Futsch-Dukaten aus seiner Tasche. Feierlich überreichte er sie Mitch McCall. »Was ist das?«, fragte dieser verwirrt.

»Das ist Geld«, erklärte Futsch. »Genug Geld für zwei Paar Schuhe.«

»Bedauere, aber wir nehmen kein Spielgeld an.«

»Das ist kein Spielgeld«, erklärte ihm Futsch. »Es ist Geld von der Bank.«

»Bank?«, stammelte Mitch McCall. »Von welcher Bank?«

»Von der *Farley Drexel Hatcher Bank.*« Ich war überrascht, dass Futsch seinen vollen Namen benutzte. Normalerweise kriegt er einen Anfall, wenn jemand es wagt, ihn *Farley Drexel* statt Futsch zu nennen. »Eine große Bank«, fuhr er fort. »Dort gibt es Millionen von Futsch-Dukaten.«

Mitch McCall wandte sich an Mama. »Bedauere, aber wir akzeptieren nur US-Dollars und gültige Kreditkarten.«

Mama zog ihr Portmonee aus der Handtasche. »Kein Problem, ich habe meine Kreditkarte dabei«, sagte sie und reichte ihm ein Plastikkärtchen. »Wir nehmen die schwarzen Schnürschuhe mit den silbernen Abnähern für Futsch. Wegen der Winterstiefel kommen wir ein andermal wieder, wenn nicht so viel Betrieb ist.«

»Am besten an einem Mittwoch«, sagte Mitch McCall und fügte fast unhörbar hinzu: »Das ist mein freier Tag.«

»Aber, Mama ...«, begann Futsch.

»Es reicht, Futsch«, erklärte Mama streng. »Wir haben schon genug Zeit vertrödelt.«

»Das ist unfair!«, brüllte Futsch.

»Unfeeeh!«, trällerte Tutzi, als wäre sie Onkel Feder, der jedes Wort von Futsch treu und brav nachplappert.

»Gehen wir!«, sagte Mama erschöpft.

»Ich gehe hier nicht weg, wenn ich nicht alle meine Schuhe kriege!«, erklärte Futsch. Er verschränkte die Arme vor der Brust und vergrub sich noch tiefer in seinem Sitz.

Oh weh, dachte ich mir, während ich langsam in Richtung Ladentür vorrückte. Das sieht nicht gut aus. Draußen tat ich so, als würde ich die Schuhe im Schaufenster betrachten. Aber ich sah ganz genau, wie Mama versuchte, Futsch von seinem Stuhl zu ziehen. Als es ihr nicht gelang, zog sie an seinen Füßen. Als auch das nicht klappte, gab sie auf, ging an die Kasse, nahm ihre Tüten und schob Tutzis Buggy in Richtung Ladentür. Wahrscheinlich dachte sie, Futsch würde ihr folgen. Doch da hatte sie sich getäuscht.

Futsch wirbelte auf einmal wie ein Tornado durch das Geschäft und vernichtete alles, was ihm in den Weg kam. Stöckelschuhe flogen von der Auslage. Babyschuhe purzelten aus den Regalen. Männerstiefel donnerten auf den Boden. Mama raste hinter Futsch her und Mitch McCall hinter Mama. Als der drehbare Sockenständer umstürzte, hüpfte Tutzi in ihrem Buggy auf und ab und kreischte so vergnügt, als würde ihr Bruder die beste Show des Jahres abziehen.

Ich betete, dass keiner aus meiner Klasse hier im Laden war. Niemand, der mich kennt oder jemals gekannt hat. Niemand, den ich eines Tages treffen würde und der dann sagen würde: Ach ja ..., du bist ja der Junge mit dem total verrückten Bruder, der neulich bei *Harry's* so ausgerastet ist. Vorsichtshalber entfernte ich mich von dem Schuhgeschäft und ging ein Stück die Straße entlang, als wäre ich ein ganz normaler Junge, der über den Broadway schlendert – ein Junge aus einer völlig normalen Familie. Ich studierte die Speisekarte des Sushi-Restaurants zwei Häuser neben *Harry's*, schmökerte in den gebrauchten Büchern vor dem Buchladen, blätterte am Kiosk an der Ecke einige Zeitschriften durch. Dann endlich hörte ich Mama rufen. »Peter ..., würdest du mir bitte helfen?« Sie hatte sich Tutzi unter einen Arm geklemmt, trug in der anderen Hand die Tüten und versuchte verzweifelt, den Buggy zu schieben, in dem sie meinen tobenden kleinen Bruder festgeschnallt hatte.

»Bist du nicht langsam zu alt für diese kindischen Wutanfälle?«, fragte ich ihn.

»Wenn Mama *dich* nicht lieben würde, bekämst du auch einen Wutanfall!«, brüllte er zurück.

»Das hat absolut nichts mit lieben oder nicht lieben zu tun«, sagte Mama, drückte mir Tutzi in den Arm und versuchte dann, Futsch aus dem Buggy zu ziehen.

»Doch!«, kreischte Futsch. »Wenn du mich lieben würdest, hättest du mir zwei Paar Schuhe gekauft!«

»Du brauchst keine zwei Paar gleiche Schuhe«, sagte Mama, als wäre Futsch ein vernünftiger Mensch.

»Sie waren überhaupt nicht gleich!«

»Aber sehr ähnlich.«

»Ich will sie trotzdem!«, wimmerte Futsch.

»Das habe ich begriffen. Aber wir können nicht alles kaufen, was du haben willst.«

»Warum nicht?«

»Wir haben nicht so viel Geld, um ...« Ich merkte, dass Mama angestrengt überlegte, wie sie Futsch die Sachlage erklären könnte: »... um einfach des Kaufens wegen zu kaufen. Geld wächst schließlich nicht auf Bäumen.«

»Ich weiß, dass es nicht auf Bäumen wächst«, knurrte Futsch. »Du holst es aus dem Automaten.«

»Aber man kann nicht einfach an einen Bankautomat gehen, wann immer man Lust hat, um neues Geld zu holen«, erklärte Mama Futsch mit einer wahren Engelsgeduld.

»Doch, das kann man«, widersprach Futsch. »Du steckst einfach deine Karte rein und schon kommt Geld heraus. Es klappt immer.«

»Nein, es klappt nur, wenn man auch Geld auf seinem Konto hat«, sagte Mama. »Man muss hart arbeiten und jede Woche einen Teil seines Gehalts sparen. Der Bankautomat ist nur eine Möglichkeit, einen Teil seines Gelds vom Konto zu holen. Er spuckt nicht einfach Geld aus, nur weil man welches haben möchte. So einfach ist das nicht.«

»Ich weiß, Mama«, sagte Futsch verständnisvoll. »Manchmal muss man zuerst Schlange stehen.«

Mama seufzte und wandte sich dann Hilfe suchend an mich. »Fällt dir etwas dazu ein, Peter?«

»Sag einfach nein und fertig! Versuch nicht ständig, ihm alles zu erklären.«

Mama schien überrascht. »Oh, daran habe ich noch nie gedacht«, sagte sie. »Ich habe immer versucht, meinen Kindern alles zu erklären.«

»Das hat vielleicht bei mir funktioniert«, sagte ich. »Aber mit Futsch ist das eine andere Geschichte.«

»Gessichte?«, trällerte Tutzi hoffnungsvoll.

»Nein, nicht jetzt«, stöhnte Mama.

Tutzi begann zu wimmern. »Gessichte lesen … jets!«

Als wir wieder zu Hause ankamen, kam uns in der Eingangshalle mein bester Freund Jimmy Fargo mit seinem Vater entgegen. Sie waren mit lauter leeren Kartons beladen.

»Hast du Peter die tolle Neuigkeit schon erzählt, Jimmy?«, sagte Mr Fargo zu seinem Sohn.

»Was für eine tolle Neuigkeit?«, fragte ich.

»Hoppla«, sagte Mr Fargo. »Jetzt habe ich wohl die Katze aus dem Sack gelassen.«

»Ihr habt eine Katze?«, fragte Futsch überrascht.

»Miau?«, rief auch Tutzi aufgeregt. Sie hat ein Alphabetbuch mit Tieren und jedes Mal, wenn sie den Namen eines Tiers hört, macht sie das entsprechende Geräusch.

Mr Fargo schloss die Augen und schüttelte den Kopf. Wenn er mit meiner Familie zusammenkommt, tut er immer so, als begreife er gar nichts.

»Ich hab neue Schuhe gekriegt!«, verkündete Futsch.

»Ach ja? Ich seh's«, antwortete Mr Fargo und versuchte, über die Kartons in seinen Armen hinweg einen Blick auf Futschs Füße zu werfen.

»Geht gar nicht«, meinte Futsch unwillig. »Sie sind noch in dem Sack da.«

»Miau?«, wiederholte Tutzi versuchsweise.

»Es geht nicht um Katzen«, erklärte ihr Futsch. »Es geht um Schuhe.«

Tutzi hielt einen Fuß hoch. »Ssuh«, sagte sie. Sie kann das Sch noch nicht richtig aussprechen.

»Sehr hübsch«, sagte Mr Fargo zu ihr.

»Nun ja ...«, sagte Mama zu Mr Fargo. »Ich sollte die Kinder zum Abendessen nach oben bringen.«

»Und ich muss mich um diese Kartons kümmern«, sagte Mr Fargo zu Mama.

»Ein neues Projekt?«, erkundigte sich Mama.

»Oh ja«, antwortete Mr Fargo. »Ein brandneues Projekt.«

»Ich komme gleich nach«, sagte Jimmy zu seinem Vater. »Ich muss nur schnell was mit Peter besprechen.« Er stellte seine Kartons auf den Boden, packte mich am Arm und zog mich wieder nach draußen.

»Also, schieß los: Was ist?«, fragte ich.

»Wie meinst du das?«

»Du weißt genau, wie ich es meine. Die Sache mit der Katze im Sack.«

»Ach so, das«, antwortete Jimmy betont gleichgültig.

»Ja, das.« Was immer es auch war, ich begriff, dass er nur

ungern darüber reden wollte. Deshalb wechselte ich das Thema. »Findest du meine neuen Schuhe uncool?«, fragte ich.

Jimmy betrachtete sie eingehend. »Nö, sehen ganz okay aus. Warum fragst du?«

»Weil ...« Ich schüttelte den Kopf und verstummte. Hätte ich etwa sagen sollen, weil *Futsch* sie uncool findet? »Und, wie lautet die Neuigkeit?«, fragte ich stattdessen lieber. Früher oder später würde er es mir ohnehin erzählen müssen.

»Du weißt ja, dass mein Vater demnächst eine Ausstellung hat, oder?«, begann Jimmy.

»Ja ...« Frank Fargo ist Künstler, ein Maler. Und in letzter Zeit verkaufen sich seine Bilder auf einmal ziemlich gut.

»Folglich braucht er etwas mehr Platz zum Malen«, fuhr Jimmy zögernd fort.

»Und weiter?«

»Nun, er hat diesen Loft in SoHo entdeckt und ...« Jimmy verstummte und widmete sich erneut der Betrachtung meiner neuen Schuhe. »Weißt du, vielleicht sind sie doch ... nicht ganz so cool. Wo hast du sie her?«

»Von *Harry's*.«

»Lass mal die Sohlen sehen.«

Ich hob einen Fuß, um Jimmy die Sohlen meiner neuen Schuhe vorzuführen.

»Na ja, sie sind ganz okay«, sagte er dann. »Aber egal, du kannst sie sowieso nicht mehr umtauschen, weil du sie schon getragen hast.«

»Könnten wir vielleicht wieder über die Neuigkeit reden?«

»Ach so, richtig ..., die Neuigkeit.« Doch Jimmy starrte

weiterhin auf meine Schuhe. »Wie teuer waren sie?«, wollte er wissen. »Ich brauche auch noch neue Schuhe, bevor die Schule wieder anfängt.«

»Wenn du willst, verkaufe ich dir diese mit einem kleinen Nachlass.«

»Ich glaube nicht, dass wir immer noch dieselbe Größe haben. Außerdem, wenn du sie uncool findest, warum willst du sie dann mir andrehen?«

»Sie sind nicht uncool.«

»Wieso hast du mich dann gefragt, ob sie es sind?«

»Hey, ich hab keinen Bock mehr, über Schuhe zu reden, okay?«

»Okay. Schön. Wahrscheinlich wird sowieso kein Mensch darauf achten.«

»Wie meinst du das?«

»Reingefallen!«, rief er, bohrte mir einen Finger in die Rippen und lachte. Ich hasse es, wenn er das tut.

Ich ging langsam wieder zur Eingangstür zurück. »Ich muss hoch zum Essen.«

»Gute Idee«, meinte Jimmy. »Ich bin auch am Verhungern. Was gibt's bei euch?«

»Keine Ahnung. Wahrscheinlich Sandwiches mit Erdnussbutter. Also, rückst du jetzt mit der Sprache heraus oder nicht?«

»Wegen was denn?«

»Na, wegen dem, was du mir nicht erzählen willst.«

»Oh, das …«

Ich wartete geduldig, während Jimmy zum Himmel blickte,

dann auf den Boden und schließlich wieder zum Himmel. Zu guter Letzt holte er tief Luft und sagte: »Ich bringe es am besten jetzt hinter mich, denn früher oder später erfährst du es ja doch. Wahrscheinlich eher früher, weil es schon am Samstag ist.«

»Was ist am Samstag?«

»Du weißt doch noch, der Künstler-Loft, von dem ich dir eben erzählt habe ..., wo mein Vater in Zukunft malen wird.«

»Was ist damit?«

»Wir werden dort auch wohnen.«

»Was meinst du mit *wohnen*?«

»Wir ziehen am Samstag nach SoHo.«

»Ihr zieht weg?«, fragte ich ungläubig. Ich schüttelte den Kopf. Das konnte nicht wahr sein. Es war bestimmt nur einer von Jimmys Scherzen. Gleich würde er mir seinen Finger in die Rippen bohren und sagen: *Reingefallen.*

»Aber ich gehe weiterhin in unsere Schule«, fuhr Jimmy fort. »Deshalb werden wir uns wie bisher jeden Tag sehen.«

»Was redest du da? SoHo ist mindestens sechzig oder siebzig Blocks weit weg von hier.«

»Ich habe ja nicht gesagt, dass ich den ganzen Weg zu Fuß gehe. Ich nehme natürlich die U-Bahn.«

»Du willst in Zukunft jeden Tag mit der U-Bahn zur Schule fahren?«, fragte ich skeptisch. »Ganz allein?«

»Na und? Ist doch keine große Sache. Viele Siebtklässler fahren schon allein mit der U-Bahn.«

Ich musste schlucken. Wahrscheinlich war das wirklich keine große Sache, aber ich hatte das Gefühl, als hätte er mir diesmal nicht nur mit dem Finger in die Rippen gebohrt, sondern mit der ganzen Faust in die Magengrube geboxt. Am liebsten hätte ich zurückgeboxt. »Warum musste sich dein Vater ausgerechnet im Stadtzentrum eine neue Wohnung suchen?«

»Na, weil man nur da Lofts findet. Man kriegt nur einen, wenn man Künstler ist. Außerdem ist unsere Wohnung hier sowieso zu klein. War schon immer zu klein.«

»Früher fandest du sie nicht zu klein. Einmal hast du mir sogar angeboten, zu euch zu ziehen.«

»Damals waren wir noch klein«, sagte Jimmy. »Ich wusste noch nicht, was ich heute weiß.«

»Nur weil dein Vater plötzlich reich ist …«, begann ich.

Jimmy ließ mich nicht ausreden. »Wie kannst du so etwas sagen? Du bist gemein! Er ist *nicht* reich und das weißt du genau.«

»Wieso darf man nicht sagen, dass jemand viel Geld hat?«

»Er hat nicht viel Geld. Wahrscheinlich wird er nie sehr viel Geld haben.«

»Warum tust du so, als wäre es schlimm, Geld zu haben?«, fragte ich.

»Ich weiß nicht, wie es ist, Geld zu haben, okay? Ich weiß nur, dass mein Vater diesen Loft im Stadtzentrum gemietet hat und wir dorthin ziehen. Es ist ja nicht so, als würden wir die Stadt verlassen, wie du damals.«

»Das war doch nur für ein Schuljahr«, verteidigte ich mich. Es stimmte, wir hatten letztes Schuljahr in New Jersey gelebt. In Princeton, genauer gesagt. Weil meine Eltern unbedingt wissen wollten, wie es ist, auf dem Lande zu leben. Es war ganz okay. Doch als das Schuljahr zu Ende war, beschlossen wir, wieder nach New York zu ziehen. Darüber waren Jimmy und ich so glücklich, dass wir eine ganze Woche lang gefeiert haben. »Und außerdem«, erklärte ich ihm, »blieb mir nichts anderes übrig.«

»Meinst du etwa, mir bleibt etwas anderes übrig?«, fragte Jimmy empört. »Aber ehrlich gesagt macht es mir auch nicht so viel aus.«

»Vielen Dank.«

»Ich rede nicht davon, von *dir* wegzuziehen«, sagte Jimmy. »Ich rede davon, aus einem winzigen Apartment mit so gut wie keinen Möbeln auszuziehen. Ich habe es satt, auf dem Fußboden zu schlafen, auf einer Matratze, nur ein paar Zentimeter vom Gesicht meines Vaters entfernt. Ich habe es satt, die ganze Nacht seine Salami- und Zwiebelrülpser zu riechen. Ich brauche etwas Freiraum.«

Ich sah an ihm vorbei.

»Willst du mir etwa ein schlechtes Gewissen machen?«, fragte Jimmy. »Falls ja, gratuliere! Es ist dir gelungen.«

Darauf sagte ich lieber nichts, ich konnte gar nicht.

»Hör mal …«, sagte er, »du kommst mich natürlich besuchen. Wir können weiterhin viel Zeit zusammen verbringen. Du wirst sehen, es wird toll werden. Nichts wird sich ändern.«

»Was ist los, Pit?«, fragte Futsch, als ich nach dem Gespräch mit Jimmy unsere Wohnung betrat.

»Wie meinst du das?«

»Na, du siehst aus, als hättest du deinen besten Freund verloren.«

»Woher hast du denn diesen Ausdruck? Ach ja, von Großmutter«, antwortete ich, um ihn abzulenken. Großmutter hat immer einen klugen Spruch parat.

Futsch nickte. »Und, hast du?«

»Hab ich was?«

»Deinen besten Freund verloren?«

»Ich habe nur gerade erfahren, dass Jimmy nach SoHo zieht.«

Mama stellte mir ein Erdnussbutter-Sandwich hin. »Frank Fargo hat es mir auch vorhin erst erzählt. Es freut mich sehr für die beiden, Peter.« Sie legte mir eine Hand auf die Schulter. »Ich weiß, es ist hart für dich, Jimmy Lebewohl sagen zu müssen, aber …«

»Ich sage Jimmy nicht Lebewohl! Hat Mr Fargo es dir nicht erzählt? Jimmy geht weiterhin auf meine Schule. Er fährt jeden Tag mit der U-Bahn.«

»Ist SoHo so ähnlich wie Princeton?«, fragte Futsch.

»Princeton liegt in New Jersey, Spatzenhirn.«

»SoHo ist nur ein anderer Stadtteil von New York«, erklärte Mama Futsch. »Du warst auch schon mal da.«

»So…ho ho ho«, trällerte Tutzi und sie klang wie ein Miniatur-Weihnachtsmann.

Mama war sichtlich beeindruckt. »Stimmt. SoHo.«

»Ich hasse SoHo!«, rief ich. Dann rannte ich in mein Zimmer und knallte die Tür hinter mir zu. Tutzi erschrak so sehr, dass sie anfing zu weinen.

»Vielen Dank, Pit!«, rief Futsch mir nach. »Es war echt nett hier, bis du nach Hause gekommen bist.«

WER IST HIER GESTÖRT?

Jimmy und sein Vater waren kaum ausgezogen, als Henry – das Mädchen für alles in unserem Haus – auch schon damit begann, ihre Wohnung neu zu streichen und ihre alte Küche wieder auf Hochglanz zu bringen. Ein Glück für die neuen Mieter, denn Frank Fargo hat seinen Kühlschrank kein einziges Mal geputzt. Er bewahrte alles so lange auf, bis es vor Schimmel ganz grün war und dermaßen stank, dass man fast erstickte, wenn man die Kühlschranktür aufmachte.

Die neuen Mieter haben ein kleines Kind in Futschs Alter. Wir trafen sie eines Nachmittags in der Eingangshalle, kurz bevor das neue Schuljahr anfing. »Ich bin Melissa Beth Miller und ich komme in die gestörte Klasse«, teilte sie uns ungefragt mit. Sie hatte beide Arme von oben bis unten mit Kinder-Tattoos beklebt.

»Ich komme auch in die gestörte Klasse«, sagte Futsch.

»Es heißt nicht *gestörte* Klasse«, sagte Mama. »Es heißt *geförderte* Klasse.«

Was soll denn das heißen?, fragte ich mich. Und wieso erfahre ich erst jetzt davon?

»Da bin ich aber froh«, sagte Melissas Mutter. »Dann war es also nur ein Tippfehler. Wissen Sie, wir sind neu hier, und als wir das Schreiben mit der Schulzuweisung bekamen, war ich doch etwas bestürzt.«

In der Zwischenzeit war Tutzi in ihrem Buggy eingeschlafen. Sie war barfuß und Turtle hatte prompt angefangen, ihre Zehen zu lecken. Ich weiß nicht, was er an Zehen findet, aber neuerdings ist er richtig süchtig danach. Egal, ob Zehen von Babys oder von alten Leuten, ob saubere oder ungewaschene Zehen. Sobald er eine nackte Zehe erspäht, stürzt er sich auch schon darauf – und schnüffelt, knabbert und leckt, als ginge es um sein Leben. Ich kann nur hoffen, dass das nur eine Phase ist, die vorübergeht, sobald es Winter ist und niemand mehr in Sandalen herumläuft.

In der Sekunde, in der ich seine Leine losließ, um unsere Post aus dem Briefkasten zu fischen, stürzte Turtle los. Und als ich aufblickte, war er bereits am anderen Ende der Eingangshalle und beschnüffelte voller Hingabe die große Zehe von Olivia Osterman. Das war die einzige Zehe, die aus dem kleinen Loch vorne an ihren Schuhen herausschaute. Mrs Osterman verbringt viel Zeit in der Eingangshalle, wo sie auf dem Ledersofa sitzt und ihren Mitbewohnern beim Kommen und Gehen zuschaut. Sie wohnt schon länger hier als sonst jemand – schon über sechzig Jahre, glaube ich. Inzwischen muss sie an die neunzig sein. Früher war sie ein Broadway-Star. Großmutter hat sie mal auf der Bühne gesehen. Sie macht sich noch immer jeden Tag fein, mit breitkrempigen Hüten und massenhaft Schmuck. Natürlich kennt sie jeder hier und bleibt kurz stehen, um mit ihr zu plaudern. Sie verteilt immer kleine Tütchen mit Bonbons an uns Kinder, als ob jeden Tag Halloween wäre. Und sie hat auch immer ein paar Hundekuchen in der Tasche, sodass alle Hunde in unserem Haus ganz verrückt auf sie sind.

Das Einzige, was mich an Mrs Osterman nervt, ist die Tatsache, dass sie nicht begreift, warum ich meinen Hund Turtle nenne. Ich habe ihr schon hundert Mal erklärt, dass ich früher mal eine kleine Schildkröte hatte, die mein Bruder als Dreijähriger verschluckt hat. Und als ich später einen Hund bekam, habe ich ihn eben nach meiner Schildkröte benannt. Das begreift jeder, nur Mrs Osterman nicht. »Turtle heißt Schildkröte und nur eine Schildkröte ist eine Schildkröte«, sagt sie immer. »Und ein Hund ist ein Hund. Würdest du deine Katze vielleicht Affe nennen oder deinen Esel Känguru?« Ich weiß dann immer nicht, was ich ihr darauf antworten soll.

Ich war so sehr in meine Gedanken über Mrs Osterman versunken, dass ich gar nicht bemerkte, dass Mama hinter einem Dutzend Äpfel herrannte, die aus ihrer Einkaufstüte gekullert waren. Mama sagt manchmal, ich sei genau wie Papa, weil ich nie merke, was sich direkt vor meiner Nase abspielt.

Inzwischen tobten Futsch und Melissa lachend und kreischend durch die Eingangshalle. »Futsch!«, rief Mama. »Du weißt genau, dass du hier in der Halle nicht rennen darfst!«

»Melissa!«, rief auch Mrs Miller. »Komm bitte wieder her!«

Mama lachte. »Herzlich willkommen in unserem Haus«, sagte sie zu Mrs Miller. »Es geht hier nicht immer so chaotisch zu.«

Stimmt, dachte ich mir im Stillen, manchmal ist es noch chaotischer.

Als Futsch zurückkam und hörte, wie Mrs Miller Mama erzählte, sie arbeite beim Sozialdienst des Roosevelt Hospitals, fragte er prompt: »Wie viel verdient man da?«

»Wie bitte?«, fragte Mrs Miller irritiert, als glaubte sie, sich verhört zu haben.

»Futsch!«, sagte Mama mahnend. »So etwas fragt man nicht.« Kopfschüttelnd wandte sie sich dann wieder an Mrs Miller. »Entschuldigen Sie, normalerweise ist mein Sohn nicht so unhöflich.«

Oh doch, das ist er, dachte ich mir.

»Weißt du, warum die Erwachsenen immer so komisch tun, wenn ich über Geld reden will?«, fragte Futsch Melissa.

»Na, weil sie eben Erwachsene sind«, antwortete Melissa. »Ist doch klar.«

Mama und Mrs Miller schmunzelten etwas verlegen, wie Eltern es immer tun, wenn ihnen etwas peinlich ist, sie es aber nicht zeigen wollen. Dann tauschten sie ihre Visitenkarten aus. »Ich bin Zahnarzthelferin«, sagte Mama.

»Oh, einen guten Zahnarzt brauchen wir hier noch«, sagte Mrs Miller und las laut vor, was auf Mamas Karte stand. »Ah, Sie arbeiten bei Dr. Martha Julie.«

»Ja, bei der Zahnärztin mit den zwei Vornamen«, trällerte Futsch und hüpfte um Melissa herum. »Bei ihr darfst du Videos gucken, während sie deine Zähne anschaut.«

»Was für Videos?«, erkundigte sich Melissa.

»Du kannst mitbringen, was du willst. Aber sie mag es

nicht, wenn man laut lacht, also nimm lieber nichts mit, was zu lustig ist.«

»Die lustigen mag ich aber am liebsten«, erklärte Melissa.

»Ich auch«, stimmte Futsch ihr zu.

»Ich rufe dann mal wegen eines Termins an«, sagte Mrs Miller zu Mama.

»Ich arbeite aber nur halbtags«, erklärte Mama. »Und zwar dienstags, freitags und jeden zweiten Samstag.« Sie griff nach ihren Einkaufstüten. »Also, dann bis bald.«

Während ich Tutzis Buggy schob, versuchte Mama, Futsch zum Aufzug zu lotsen, doch er war noch nicht so weit. »Weißt du was?«, rief er Melissa noch zu. »Pits bester Freund hat bis jetzt in eurer Wohnung gewohnt. Stell dir vor, er hat nicht mal ein Bett zum Schlafen gehabt.«

»Aber nur, weil sein Vater findet, dass es besser ist, auf dem Fußboden zu schlafen«, warf ich ein. Keine Ahnung, warum ich das Gefühl hatte, Frank Fargo in Schutz nehmen zu müssen, aber ich tat es eben.

»Ich habe ein Bett«, erklärte Melissa. »Ein richtiges Bett. Willst du es mal sehen?«

»Darf ich, Mama?«, fragte Futsch.

»Ein andermal«, sagte Mama. »Bis zum Schulanfang haben wir noch allerhand zu tun.«

Melissa begleitete uns bis zum Aufzug. »Wir sehen uns dann in der gestörten Gruppe«, sagte sie zu Futsch.

»Eine gestörte Gruppe für gestörte Kinder!«, trällerte Futsch, nahm seinen Arm hoch und schlug seine Hand gegen die von Melissa.

Während des ganzen Abendessens fragte ich mich, ob Futsch vielleicht nicht doch in eine Klasse für gestörte Kinder gehen musste. Später, als Mama Tutzi fürs Bett fertig machte, beschloss ich, mir Klarheit zu verschaffen. »Sag mal, was ist eigentlich mit dieser gestörten Gruppe?«

»Es heißt geförderte Gruppe«, antwortete Mama.

»Hör mal, Mama ..., falls er noch ein Jahr länger in den Kindergarten gehen muss, kannst du es mir ruhig sagen. Ich werde die Katze nicht aus dem Sack lassen.«

»Miau!«, piepste Tutzi aufgeregt, während Mama ihr die Windel wechselte.

»Nein, er geht *nicht* noch ein Jahr in den Kindergarten«, erklärte mir Mama. »Du weißt genau, dass er sehr intelligent ist.«

»Aber er sagte, seine Klasse wäre für *gestörte* Kinder.«

»Keine Ahnung, wie es zu diesem Schreibfehler kam«, sagte Mama und blickte mich an. »Peter, willst du damit etwa sagen ...«

»Nein, natürlich nicht, Mama.«

»Es handelt sich nämlich um ein Förderprogramm. Die Kinder, die in diese Gruppe kommen, sind bereits so weit, lesen und schreiben zu lernen. Sie sind nur noch nicht alt genug für die offizielle erste Klasse. Du weißt ja, wie intelligent Futsch ist. Er ist schon sehr reif für sein Alter.«

Ich musste lachen. Tutzi auch, obwohl sie natürlich keine Ahnung hatte, worum es ging.

»Es stimmt, Peter!«, sagte Mama mit Nachdruck.

»Klar, Mama. Wenn du meinst ...«

»Es geht hier um sein Selbstwertgefühl. Zieh ihn ja nicht damit auf! Er muss weiterhin stolz darauf sein, dass er in die geförderte Gruppe gehen darf.«

»Ich glaube nicht, dass du dir wegen seines Selbstwertgefühls Sorgen machen musst. Er hält sich für den Größten.«

»Nicht mehr lange, falls ihm jemand einredet, er ginge in eine Klasse für gestörte Kinder.«

»Was passiert, wenn er wieder ein Rattengesicht kriegt?«, fragte ich. Rattengesicht war seine Vorschullehrerin im Kindergarten in Princeton gewesen, wo wir letztes Jahr gewohnt hatten. Als sie sich weigerte, ihn Futsch zu nennen, hatte Futsch einen Tobsuchtsanfall gekriegt und sie getreten. In weniger als einer Stunde war er in einer anderen Lerngruppe untergebracht worden.

»Ich habe seine Lehrer schon kennen gelernt und sie scheinen alle ganz nett zu sein. Futsch kommt in Williams Gruppe. Das ist schon Williams drittes Jahr mit einer geförderten Gruppe. Folglich hat er eine gewisse Erfahrung.«

»Niemand kann genügend Erfahrung haben, um mit einem Kind wie Futsch fertig zu werden«, sagte ich seufzend.

»Sei doch ein bisschen zuversichtlicher, Peter. Okay?«

»Okay«, versprach ich ihr. Ich war wirklich zuversichtlich. Sehr zuversichtlich sogar. Und zwar zuversichtlich, dass es in einer Katastrophe enden würde, wie immer bei Futsch.

RICHIE SUPERREICH

Ich gebe zu, dass ich meinem ersten Tag als Siebtklässler mit einer gewissen Besorgnis entgegensah. Ob sie mich wohl als Neuen behandeln würden, nur weil ich letztes Jahr nicht da gewesen war? Aber man ist ja kein Neuer, nur weil man ein Jahr lang gefehlt hat, oder? Wahrscheinlich war ich für sie nur eine Art ›alter Neuer‹. Ich meine, alle würde ich wahrscheinlich nicht mehr kennen, aber meine alten Klassenkameraden aus der Fünften schon noch. Und auch mein bester Freund war nach wie vor mein bester Freund.

Futsch hingegen schien der Schulanfang absolut nichts auszumachen. Er und Melissa hüpften den ganzen Weg zur Schule umeinander herum. Zu schade, dass Jimmy nicht mehr in unserem Haus wohnte, sonst hätte ich mit ihm zusammen zur Schule gehen können. Stattdessen ging ich mit Sheila Tubman. Nicht, dass ich Wert darauf gelegt hätte, aber was blieb mir anderes übrig? Wir trafen uns schon im Aufzug und fuhren zusammen nach unten. Es wäre unhöflich gewesen, dann die Straßenseite zu wechseln, nur um sie loszuwerden, oder? Aber ich hoffte inständig, dass wir nicht in denselben Aufenthaltsraum kommen und auch keine Kurse zusammen haben würden.

Tja, und dann stellte sich heraus, dass Sheila doch denselben Aufenthaltsraum zugewiesen bekam wie ich. Und in Naturwissenschaften und Spanisch waren wir auch zusammen. Doch ich versuchte, das Ganze positiv zu sehen, wie Mama mir empfohlen hatte. Und zudem gab es auch eine gute Nachricht: Jimmy war ebenfalls in meinem Aufenthaltsraum und – was noch besser ist – wir sind in ziemlich vielen Fächern zusammen. Wir haben sogar immer zur selben Zeit Mittagspause. Und keiner meiner Mitschüler tat so, als wäre ich neu. Die meisten wussten nicht einmal mehr, dass ich letztes Jahr woanders gewesen war, oder aber es war ihnen egal.

Genau wie früher kam Jimmy nach der Schule häufig mit zu mir. Ich erzählte ihm von Melissa und ihrer Mutter und auch, dass Henry ihre alte Wohnung frisch gestrichen und die Küche renoviert hat. »Sie bekamen einen neuen Kühlschrank«, sagte ich und rechnete damit, Jimmy würde lachen und einen Witz über Salami-Zwiebel-Sandwiches machen. Doch das tat er nicht.

Wir gingen ein bisschen in den Park, setzten uns auf unseren speziellen Felsen und ausgerechnet da sagte Jimmy aus heiterem Himmel, er müsse jetzt nach Hause gehen. Ich hatte in diesem Moment total vergessen, dass er weggezogen war und jetzt im Stadtzentrum wohnte. Und dass er ganz allein mit der U-Bahn nach Hause fahren musste. Ich begleitete ihn zur Ecke Central Park West und 72. Straße.

Jimmy und ich sind seit der dritten Klasse die dicksten Freunde. Damals wohnte er noch um die Ecke. Das Haus war der erste Ort in der Stadt gewesen, an den ich ganz allein hatte gehen dürfen. Ich mochte Jimmys Mutter wirklich gern. Sie sagte, ich solle doch bitte Anita zu ihr sagen, nicht Mrs Fargo. Wir hatten ein besonderes Spielchen. Immer, wenn ich ihr Haus verließ, gab sie mir einen Vollkornkeks mit, für den Fall, dass ich unterwegs Hunger bekäme. Das war natürlich ein Witz, weil ich bis zu mir nach Hause höchstens zwei Minuten brauchte. Ich war richtig sauer auf sie, als sie Jimmy und seinen Vater verließ und nach Vermont zog. Doch als Jimmy dann wenig später mit seinem Vater in unser Haus zog, freute ich mich wieder. Auf Jimmys Mutter bin ich jedoch nach wie vor sauer, weil Jimmy es auch ist.

Jimmy redet bis heute nicht gern über die Scheidung oder über seine Mutter. Er behält alles für sich. Er besucht seine Mutter zu Weihnachten und im Sommer für einen Monat. Ich persönlich hoffe, dass ich sie nie mehr zu sehen bekomme. Sonst müsste ich ihr nämlich ins Gesicht sagen, was ich davon halte, was sie Jimmy angetan hat. Und kommt mir jetzt ja nicht damit, alles hätte zwei Seiten, wie Mama meint, denn Jimmys Seite habe ich zufällig aus nächster Nähe miterlebt. Nicht, dass ich mir wünschte, er würde nach Vermont ziehen. Das wäre ja noch schlimmer als SoHo. Dann würde ich ihn nie mehr sehen. Doch auf jeden Fall weiß ich jetzt, wie er sich gefühlt hat, als ich letztes Jahr weggezogen bin.

Ich blickte Jimmy nach, wie er die Stufen zur U-Bahn-Station hinunterrannte. Wann Mama und Papa mir wohl erlauben würden, allein mit der U-Bahn nach SoHo zu fahren?

An diesem Abend erzählte Futsch beim Essen endlos von seinem ersten Schultag. »Es sind immer zwei Lehrer in unserem Raum, William und Polly. Und der Hilfslehrer. Macht drei.«

»Du brauchst auch drei Lehrer«, sagte ich. »Wenn nicht sogar mehr.«

»Weil ich so schlau bin, nicht wahr?«

»Oh ja ..., hoffentlich werden die drei auch aus dir schlau.«

»Wie viele Lehrer hast du, Peter?«

»Jede Stunde einen anderen.«

»Wow ..., du musst ja echt superschlau sein.«

Papa mischte sich ein. »Wenn du in die siebte Klasse gehst, Futsch, wirst du auch so viele Lehrer haben wie Peter.«

»Der Hilfslehrer kommt zweimal die Woche«, fuhr Futsch fort. »Er ist siebzehn. Nächstes Jahr geht er aufs College. Und wisst ihr, wie er heißt? Jonathan Pfannkuch.«

Ich lachte und sagte: »Da hast du dich sicher verhört, Spatzenhirn.«

»Peter!«, sagte Mama in scharfem Ton. »Was haben wir gestern Abend erst besprochen?«

»Hm ..., keine Ahnung.«

»Selbstbewusstsein«, half Mama mir auf die Sprünge. »Weißt du noch?«

»Was hat das damit zu tun, dass ...« Ich brach abrupt ab. Spielte sie darauf an, dass ich Futsch Spatzenhirn genannt hatte? Mama nickte, als könne sie auf einmal meine Gedanken lesen.

Doch Futsch hatte gar nicht darauf geachtet. Er plapperte weiter, als sei er der einzige Mensch auf Erden. »Jonathan hat gesagt, manche Leute fänden seinen Namen komisch, aber da habe ich ihm gesagt, manche Leute fänden auch *meinen* Namen komisch. Und dann hat ein Mädchen gerufen, ihren Namen fänden auch manche Leute komisch. Sie heißt Rebecca Pasta. Und Pluto Stevenson hat dann gesagt, seinen Namen fänden *alle* Leute komisch.«

»Pluto?«, fragte ich nach.

»Ja, Pluto. Aber er ist nicht mein neuer bester Freund. Mein neuer bester Freund heißt ...«

»Moment mal«, fiel ich ihm ins Wort. »Der erste Tag in der Schule und schon hast du einen besten Freund?«

»Klar, Pit. Wieso?«, fragte Futsch mit Unschuldsmiene zurück.

Eines muss man Futsch lassen. Freunde findet er leicht. Wenn er irgendwohin geht, hat er im Gegensatz zu mir keine Angst, dass jemand ihn vielleicht nicht mögen könnte.

»Rate mal, wie mein neuer Freund heißt«, fragte er mich später an diesem Abend. Ich saß an meinem Schreibtisch. Ich war gerade mit den Mathe-Hausaufgaben fertig geworden und wollte mich nun an Spanisch machen. Am Freitag hatten wir einen Vokabeltest.

»Ich mache meine Schulaufgaben«, erklärte ich ihm. »Du sollst mich doch nicht stören, wenn ich lerne. Und außerdem sollst du anklopfen, wenn meine Tür zu ist.« Futsch und ich haben beide je ein halbes Zimmer. Unsere Zimmerhälften sind durch ein Regal getrennt. Aber jeder von uns hat eine eigene Tür zum Flur.

»Ich hab dir eine Reiswaffel mitgebracht«, sagte Futsch mit einem entschuldigenden Grinsen und hielt mir sein Mitbringsel unter die Nase.

Dabei ist er es, der auf Reiswaffeln steht, nicht ich. Mir wird davon eher übel. Ich finde, Reiswaffeln schmecken, als würde man auf Karton herumkauen. »Ich will keine Reiswaffel«, sagte ich. »Du weißt genau, dass ich keine mag. Solltest du außerdem nicht längst im Bett sein, Kleiner?«

»Ich kann erst ins Bett gehen, wenn du es erraten hast«, antwortete er und biss in die Reiswaffel.

»Okay ..., und was soll ich diesmal erraten?«

»Denk scharf nach, Pit!«, sagte er. »Du musst erraten, wie mein neuer Freund heißt.«

»Na schön, aber einen kleinen Tipp musst du mir schon geben«, sagte ich.

»Okay ..., sein Vorname ist genau das, was ich sein möchte, wenn ich einmal groß bin. Da ist nur ein Buchstabe Unterschied.«

»König?«, riet ich aufs Geratewohl.

»Falsch!«

»Präsident?«

»Sehr witzig, Pit. Versuch's noch einmal!«

»Mal überlegen ...« Ich tat so, als würde ich angestrengt nachdenken. »Oh, ich hab's: Knauser?«

»Nein!« Er schob sich die halbe Reiswaffel auf einmal in den Mund. »Er heißt Rich.« Gespannt wartete Futsch auf meine Reaktion. Als diese ausblieb, wiederholte er: »Er heißt Rich. Verstehst du, Pit? Rich und noch ein Buchstabe dazu macht ›reich‹. Und das will ich doch sein, wenn ich groß bin.« Da ich noch immer nichts sagte, fügte er hinzu: »Aber wir nennen ihn alle Richie. Und sein Nachname ist noch toller. Hier ein kleiner Tipp: Er hat mit jemandem zu tun, der sehr berühmt ist. Jemand, den wir beide kennen.« Futsch stopfte sich den Rest der Reiswaffel in den Mund und rieb sich dann die Hände ab. Die Krümel landeten auf meinem Spanisch-Arbeitsbuch.

»Ich kenne niemanden, der wirklich berühmt ist.«

»Oh doch!«

»Nein! Ich gebe auf!«

Futsch näherte sich meinem Ohr. »Richie ist der Cousin von *Du-weißt-schon-wem*«, flüsterte er.

Ich stöhnte. »Das haben wir doch schon besprochen«, sagte ich und wischte mir das Ohr ab. »Harry Potter ist kein realer Mensch. Er ist …«

Doch noch ehe ich zu Ende gesprochen hatte, spuckte sich Futsch hektisch dreimal auf den Handrücken. »Du hast seinen Namen laut ausgesprochen? Schnell, du musst dir dreimal auf die Hand spucken, sonst wird etwas Schreckliches passieren. Mach schon!« Futsch spuckte sich auch noch auf die andere Hand. Ich weiß nicht, wie Futsch auf die hirnrissige Idee gekommen ist, dass man den Namen Harry Potter nicht laut aussprechen darf, aber er ist nun mal davon überzeugt.

Vermutlich eine Art Magie, die er selbst erfunden hat. Mir war klar, dass er noch zu klein für die Hörkassetten war, aber Mama und Papa spielten sie trotzdem, als wir aus den Sommerferien nach Hause fuhren. Ehrlich gesagt ist es einfacher, sich auf den Handrücken zu spucken, als lange mit Futsch herumzustreiten. Deshalb spuckte ich brav dreimal auf meinen Handrücken.

»Puh …«, sagte Futsch erleichtert. »Das war knapp!«

»Ich sage es dir nur ungern, kleiner Bruder«, sagte ich, »aber Potter ist ein ziemlich häufiger Nachname. Ich kenne mindestens zwei Kinder an unserer Schule, die mit Nachnamen Potter heißen. Das ist gar nichts Besonderes.«

»Wenn du wüsstest, Pit!«

Onkel Feder war ganz Futschs Meinung. *»Wenn du wüsstest, Pit … Pit … Pit.«*

»Deck den Vogelkäfig ab, sei so gut«, sagte ich. »Wie soll ich mich auf meine Hausaufgaben konzentrieren, wenn dein Vogel die ganze Zeit herumschnattert.«

»Schnattert … schnattert …«, wiederholte Onkel Feder.

Ich griff nach meinen Kopfhörern und drehte die Musik lauter. Manchmal frage ich mich, ob ich ohne Musik überleben könnte.

Als ich am nächsten Tag von der Schule kam, war Richie Potter bei uns zu Besuch. Er ist zwei Köpfe größer als Futsch und so dünn, dass man durch sein T-Shirt hindurch seine Rippen zählen kann. Er hat raspelkurze Haare und große Augen, mit denen er dauernd blinzelt. Vielleicht braucht er eine Brille. Ich begriff auf Anhieb, wie Futsch auf die Idee gekommen war, er könnte der Cousin von *Du-weißt-schon-wem* sein.

Ich bemerkte auch, dass sein Atem pfiff. »Allergie«, erklärte er, nahm einen Inhalator aus seinem Rucksack und holte zweimal schnaubend Luft. »Ihr müsst Staubmilben haben.«

»Weiß nicht«, meinte Futsch. »Aber Pit hat einen Hund.«

»Hunde machen mir nichts aus, solange sie nicht anfangen, mich abzulecken«, erklärte Richie. »Wenn sie mich ablecken, kriege ich Ausschlag.«

»Bist du auch allergisch gegen Brüder?«, erkundigte sich Futsch vorsichtshalber.

»Nö, Brüder sind okay, außer, wenn sie ihre Hunde ablecken.« Er und Futsch wollten sich halb totlachen. »Leckt dein Bruder seinen Hund ab?«

»Kann schon sein«, antwortete Futsch. »Hey, Pit, leckst du ...«

»Nein!«, sagte ich barsch.

Futsch und Richie lachten trotzdem weiter.

»Willst du meinen Vogel sehen?«, fragte Futsch seinen neuen Freund. »Er kann sprechen.« Richie folgte Futsch und ich folgte Richie. Ich finde es immer interessant, wenn Futsch einem neuen Freund seinen Vogel vorstellt. »Darf ich vorstellen?«, begann er mit theatralischer Stimme, »der einmalige ... großartige ... Onkel Feder!«

»Ich habe auch einen Onkel, Onkel Jocko«, sagte Richie.

»Ist dein Onkel Jocko auch ein Vogel?«, wollte Futsch wissen.

»Nein«, sagte Richie. »Er ist der Bruder meiner Mutter.«

»Onkel Feder ist nicht mit meiner Mutter oder meinem Vater verwandt«, erklärte Futsch. »Er ist nur mit mir verwandt. Er gehört mir, mir ganz allein.«

»Kann er reden?«, fragte Richie.

»Klar, alles, was du möchtest.«

Richie dachte angestrengt nach. Dann sagte er: »Zuppidizopp!«

Onkel Feder stand nur da, den Kopf zur Seite geneigt.

»Versuch was anderes«, riet ihm Futsch. »Er mag richtige Wörter. Ganz besonders *schlimme* Wörter.«

Also sagte Richie alle Schimpfwörter auf, die er kannte, doch Onkel Feder schien nicht sehr beeindruckt.

»Probier du mal!«, sagte Richie zu Futsch.

»Was gibt's?«, fragte Futsch Onkel Feder. Normalerweise antwortet Onkel Feder dann immer *»Wasgibs … wasgibs … wasgibs …«* Doch diesmal – Fehlanzeige!

»Hey, was ist los?«, fragte ich Onkel Feder. »Hat die Katze deine Zunge verschluckt?« Wäre Tutzi hier gewesen, hätte ich das natürlich nicht gesagt, sonst hätte Tutzi angefangen zu miauen. Aber Tutzi machte gerade ihr Mittagsschläfchen.

»Nimm ihn nicht auf den Arm, Pit!«

»Ich nehme ihn doch nicht auf den Arm, das siehst du doch«, verteidigte ich mich. »Ich versuche nur, ihn zum Sprechen zu bringen.«

»Er ist nicht in Stimmung«, meinte Futsch. »Komm, Richie, gehen wir was essen.«

Ich folgte den beiden in die Küche. Mama trug noch ihren weißen Kittel von der Arbeit.

»Bist du ein Doktor?«, fragte Richie sie.

»Nein«, antwortete Mama. »Ich bin Zahnarzthelferin.«

»Ich habe einen Opa, der ist ein sehr berühmter Neurochirurg«, sagte Richie. »Er operiert Gehirne.«

»Wir kannten mal ein Mädchen, das vom Fahrrad gefallen ist«, erzählte Futsch voller Eifer. »Und da ist ihr Gehirn zu den Ohren herausgelaufen.«

»Mein Opa hätte es wieder hineingesteckt«, erklärte Richie ungerührt.

»Pech, dass sie deinen Opa nicht kannte«, meinte Futsch.

»Wen meint Futsch?«, fragte ich Mama.

Mama zuckte mit den Schultern und verdrehte die Augen, als würde sie sich das auch fragen. Dann fragte sie: »Hättet ihr Jungs gern was zu essen?«

»Oh ja, gern«, antwortete Richie. »Ich hätte am liebsten Broccoli.«

»Broccoli?«, wiederholte Mama.

»Ja, bitte«, sagte Richie. »Aber nur die Röschen, leicht gegart.«

Mama schien etwas überrascht. »Ich glaube nicht, dass wir Broccoli im Haus haben. Wie wär's mit Karotten?«

»Karotten sind auch okay«, sagte Richie. »Gibt's dazu Sesam- oder Kichererbsenpaste?«

Nun war Mama echt baff. »Wir haben weder Sesam- noch Kichererbsenpaste. Aber dafür Erdnussbutter, die schmeckt fast so wie Sesampaste.«

»Habt ihr keine Köchin?«, wollte Richie wissen.

»Nein, haben wir nicht«, antwortete Mama leicht pikiert.

»Oh, tut mir Leid«, sagte Richie. »Ich wusste nicht, dass ihr arm seid.«

»Als arm kann man uns wohl kaum bezeichnen«, sagte Mama, während sie ihm ein paar Karottensticks mit Erdnussbutter hinstellte. »Wir haben nur eben keine Köchin.«

Futsch beobachtete aufmerksam, wie Richie nach einem Karottenstick griff und diesen in die Erdnussbutter eintauchte. »Kann ich eine Banane und Erdnussbutter haben?«, sagte er dann zu Mama.

»Du weißt, wo die Bananen sind«, erklärte sie ihm und goss jedem der beiden Jungen ein Glas Milch ein. »Bedien dich selbst!«

»Wenn man die Zähne verliert, ist es schwer, Karotten zu essen«, sagte Richie zu Futsch und wackelte an einem seiner Schneidezähne. »Bald sehe ich aus wie du.«

»Wie meinst du das?«, fragte Futsch.

Richie zeigte auf seinen Mund. »Na, keine Zähne mehr oben.«

Erst da wurde mir klar, dass Futschs Altersgenossen ihn allmählich einzuholen begannen. Sie verloren ihre Milchzähne.

»Weißt du, wie viel ich von der Zahnfee bekommen habe, als mir der erste Zahn ausgefallen ist?«, fragte Richie.

»Wie viel?«, fragte Futsch interessiert.

»Zwanzig Dollar. Und das war nur das Geld von der Zahnfee. Meine Großmutter gab mir noch mal zwanzig und meine Zwillingsonkel gaben mir auch je einen Zwanziger.«

Achtzig Dollar für einen Zahn!, dachte ich fasziniert.

»Wie viel habe ich bekommen, Mama?«, wollte Futsch wissen.

»Nun, Futsch ...«, begann Mama. »Du hast deine Zähne nicht auf normale Art und Weise verloren.«

»Wie hat er sie verloren?«, wollte Richie wissen.

»Er stand auf einem Klettergerüst und dachte, er sei ein Vogel. Und deshalb versuchte er zu fliegen«, sagte ich.

»Fliegen?«, rief Richie verwundert aus.

»Damals war er erst drei«, erklärte Mama.

»Und was ist passiert?«, fragte Richie gespannt.

»Was denkst du?«, fragte ich zurück. »Er machte eine Bauchlandung und verlor die oberen Schneidezähne.«

»Stimmt gar nicht«, widersprach Futsch. »Ich habe sie nur verschluckt.«

»Das nehmen wir zumindest an«, erklärte Mama. »Aber wir sind uns nicht ganz sicher.«

»Und deshalb ist keine Zahnfee gekommen?«, fragte Richie.

»Mama ...«, begann Futsch vorsichtig. »Wieso ist zu mir keine Zahnfee ...«

Mama reagierte blitzschnell. »Du warst noch so klein, als du die Zähne verloren hast, dass die Zahnfee das Geld auf dein Sparbuch gebracht hat.«

Ich blickte Mama erstaunt an. Sie hielt meinem Blick stand, ohne mit der Wimper zu zucken.

»Heißt das, dass ich Geld auf der Bank habe?«, wollte Futsch wissen.

»Natürlich.«

»Wie viel?«

»Darüber reden wir lieber später«, sagte Mama.

»Meine Mama redet nicht gern über Geld, weißt du«, versuchte Futsch seinem neuen Freund zu erklären.

»Meine Mama redet sehr gern über Geld«, erklärte Richie und grinste mit einem Milchbart. »Sie ist Designerin. Sie entwirft Kleider, in denen ihr Name steht. Sie ist sehr berühmt. Mein Vater auch. Er baut Bürohäuser. Und meine Großmutter ist stinkreich.«

»Stinkt sie vom vielen Geldzählen?«, fragte Futsch interessiert.

»Weiß nicht«, antwortete Richie. »Kann sein.«

»Dann sollte sie ihr Geld auf die Bank bringen und es waschen lassen«, riet ihm Futsch.

»Eine gute Idee.« Richie biss mit seinen seitlichen Zähnen in einen Karottenstick.

»Ich habe viele gute Ideen«, sagte Futsch.

»Ich weiß«, sagte Richie und nickte. »Deshalb will ich dich auch als Freund haben.«

Am nächsten Tag war Richie Superreich wieder da. »Und, wo ist euer Spielzimmer?«

»Was für ein Spielzimmer?«, fragte Futsch.

»Du weißt schon«, sagte Richie. »Das Zimmer, in dem ihr all eure Spielsachen habt.«

»Ich habe meine Spielsachen in *meinem* Zimmer.«

»Das ist alles? Das sind alle Spielsachen, die du hast?«

»Er hat mehr, als er braucht«, teilte Mama Richie mit. Sie war gerade dabei, Tutzi aus ihrem Bettchen zu holen.

Richie schüttelte den Kopf. »Ich bekomme alle Spielsachen, die ich haben möchte. Und wann ich will.«

»Auch alle Lego Racers?«, wollte Futsch wissen.

»Klar«, antwortete Richie achselzuckend.

»Hast du das gehört?«, sagte Futsch. »Richie bekommt jedes Spielzeug, das er haben will.«

»Ja«, sagte Mama und holte tief Luft. »Ich habe es gehört.«

»Aber ich bin nicht verwöhnt«, versicherte ihr Richie. »Es gibt einen Unterschied zwischen alles bekommen, was man möchte, und verwöhnt sein.«

»Stimmt das, Mama?«, wollte Futsch wissen.

»Hm, kann sein«, meinte Mama.

»Wir haben ein Strandhaus«, fuhr Richie fort. »Ihr auch?«

»Nein«, antwortete Mama etwas barsch.

»Unser Haus liegt direkt am Strand, aber unsere Yacht liegt im Hafen. Ich habe zwei Halbbrüder, die auch reich und berühmt sind. Ihr habt sicher schon von ihnen gehört. Jeffrey und Colin Potter. Sie machen Filme.«

»Pit!«, rief Futsch und seine Augen blitzten. »Wenn ich dich in zwei Hälften schneide, habe ich auch zwei Halbbrüder, stimmt's? Dann könnte Tutzi eine Hälfte haben und ich die andere.«

»Eigentlich versteht man unter Halbbruder etwas anderes«, erklärte ich ihm leicht genervt.

»Jeffrey und Colin sind aus der ersten Ehe meines Vaters«, erzählte Richie weiter. »Nach seiner Scheidung hat er meine Mama geheiratet und dann bekamen sie mich. Meine Mama ist zwanzig Jahre jünger als mein Papa. Sie sagt, ich sei sehr intelligent. Und ungewöhnlich hübsch. Findet ihr auch, dass ich hübsch bin?«

Himmel, jetzt kam der Kleine echt in Fahrt. Keine Chance, ihn noch zu stoppen.

»Ja, natürlich«, sagte Mama. »Futsch und du, ihr seid beide sehr hübsch.«

»Welcher von uns beiden ist hübscher?«, bohrte Richie nach.

»Oh, da möchte ich mich nicht festlegen«, sagte Mama verlegen.

»Was soll das hier sein? Ein Schönheitswettbewerb?«, fragte ich.

Das brachte Futsch und Richie so zum Lachen, dass Richie seinen Inhalator herauskramen und ein paar Mal tief Luft holen musste.

Beim Abendessen berichtete Mama Papa: »Futsch hat einen interessanten neuen Freund.«

»Interessante Freunde sind besser als langweilige«, sagte Papa – womit er Recht hatte.

Es gab Pasta Primavera. Das sind Spaghetti mit einem Haufen Gemüse. Ich habe Mama gefragt, ob ich meine Spaghetti nicht einfach nur mit Tomatensauce haben könne, doch sie antwortete: »Nein, Gemüse ist sehr wichtig.«

»Richie Potter mag Broccoli«, warf Futsch ein.

»Ist uns bekannt«, sagte ich.

»Davon riecht sein Pipi immer so komisch.«

»Futsch!«, sagte Mama streng. »Während der Mahlzeiten spricht man nicht über Dinge, die man im Bad verrichtet.«

»Und warum nicht?«, fragte Futsch.

»Außerdem ist es Spargel, der das Pipi komisch riechen lässt«, erklärte ich ihm, »nicht Broccoli.«

»Peter!«, sagte Papa warnend.

»Broccoli auch«, rief Futsch. »Das weiß ich, weil er mich riechen ließ.«

»Jetzt reicht's aber, Jungs!«, rief Papa, was Tutzi aufhorchen ließ.

»Juns ... juns ... juns!«, krähte sie.

»Futschs neuer Freund gibt mit allem an«, sagte ich.

»Stimmt, sogar mit seinen Stinkern«, wusste Futsch zu berichten.

»Wundert mich nicht«, sagte ich.

»Pit ..., du hättest sehen sollen, was er gemacht. Eine soooooo lange Wurst!« Futsch breitete die Arme aus, damit ich eine ungefähre Vorstellung bekam.

»Jetzt reicht's aber wirklich!«, fauchte Mama. »Noch eine unangebrachte Bemerkung und ihr beide geht ohne Essen ins Bett!«

TSCHÜSS, SUE!

Jimmy fragte mich, ob ich nicht mal vorbeikommen wolle, um seine neue Wohnung zu sehen. Ich überredete Papa, mich an einem Samstagnachmittag hinzubringen. Das einzige Problem war, dass wir auch Futsch und Tutzi mitnehmen mussten, weil Mama arbeiten musste. Sie sagte, ihr neuer Job bei Dr. Julie sei der beste, den sie je gehabt hat.

Sobald wir das Drehkreuz in der U-Bahn-Station hinter uns gebracht hatten, kam auch schon eine Bahn angefahren. Wir hatten Glück und konnten uns nebeneinander setzen. Manchmal sind die U-Bahn-Waggons so überfüllt, dass man von allen Seiten von wildfremden Menschen zusammengequetscht wird – wie Sardinen in einer Büchse, wie Großmutter sagen würde. Ich persönlich mag den Vergleich mit einer Sardine nicht. Ihr Geruch erinnert mich immer an Katzenfutter, auch wenn Großmutter behauptet, Sardinen seien gut für die Knochen. Na ja, Katzenfutter vielleicht auch.

Erst als wir in der Spring Street die U-Bahn verließen, fiel mir auf, dass Futsch nur noch einen Schuh anhatte. Am anderen Fuß blitzte sein gelb-schwarz gestreiftes Biene-Maja-Söckchen. »Wo ist dein Schuh?«, fragte ich ihn.

»Was für ein Schuh?«

»Na, der, den du nicht mehr anhast.«

»Ach so, *der*.«

»Zieh sofort den anderen Schuh wieder an, Futsch!«, befahl Papa.

»Kann ich nicht.«

»Warum nicht?«, fragte Papa.

»Ich hab ihn ausgezogen, weil mein Fuß gejuckt hat, und jetzt ist er fort.«

»Fort?«, wiederholte Papa verblüfft.

Futsch nickte. »Ja.«

»Das war einer von deinen neuen Schuhen«, gab Papa zu bedenken.

»Ich weiß, Papa.«

»Und jetzt hast du ihn verloren?«

»Ich hab ihn nicht verloren. Ich weiß, wo er ist. In der U-Bahn.«

»In der U-Bahn ..., so, so«, wiederholte Papa fassungslos.

»Ja«, erklärte Futsch nickend.

Ich hätte Papa überreden sollen, mich lieber allein zu Jimmy fahren zu lassen. Es gibt nichts Schlimmeres, als mit meinem kleinen Bruder U-Bahn zu fahren. Wenn Futsch in der Nähe ist, lässt die nächste Katastrophe nie lange auf sich warten.

Papa entdeckte eine U-Bahn-Polizistin und winkte sie herbei. »Entschuldigen Sie!«, rief er.

»Kann ich Ihnen helfen?«, fragte die Polizistin.

»Ja«, antwortete Papa. »Ich muss den Verlust eines Schuhs melden.«

Sie schien überrascht. »Sie haben einen Schuh verloren?«

»Richtig«, erklärte ihr Papa. »Futsch, zeig ihr mal bitte den Schuh.«

»Wie kann ich ihr den zeigen, wenn er weg ist?«, fragte Futsch zurück.

»Zeig ihr den, der noch da ist.« Papa war eindeutig genervt.

»Ach so, *den* Schuh.« Futsch hielt den Fuß hoch.

Die U-Bahn-Polizistin zog einen kleinen Notizblock aus der Tasche und schrieb sich alle Einzelheiten auf. »Schwarz mit silbernen Abnähern ..., Kindergröße. Verloren in einem Waggon der Linie A am Samstag, den 14. September.« Sie blickte auf Papa. »Um welche Uhrzeit genau?«

»Hm, irgendwann zwischen zwei und halb drei«, antwortete Papa. »Und irgendwo zwischen der 72. Straße und hier.«

Als die Polizistin alles aufgeschrieben hatte, klappte sie ihren Block zu und steckte ihn wieder in ihre Tasche. »Wir werden unser Bestes tun, aber rechnen Sie besser nicht damit, den Schuh wiederzusehen.«

»Ich muss ihn aber wiederhaben!«, rief Futsch. »Ich brauche ihn für die Schule.«

Die Polizistin zuckte mit den Schultern.

»Ich hab Mama ja gleich gesagt, dass ich zwei Paar brauche, aber sie wollte nicht auf mich hören.«

»Das kann man ihr nicht verdenken«, meinte die Polizistin. »Bei den Preisen heutzutage.«

»Ich habe massenhaft Geld.« Futsch zog ein Bündel Futsch-Dukaten aus seiner Tasche und hielt sie ihr voller Stolz unter die Nase.

»Das solltest du lieber für einen Notfall aufheben«, meinte die Polizistin, die ein Schmunzeln unterdrücken musste.

»Aber das ist doch ein Notfall!«, erklärte ihr Futsch.

»Soll ich dir einen guten Rat geben? Behalte das nächste Mal einfach beide Schuhe an.«

»Und wenn mein Fuß juckt?«

»Besonders dann«, erwiderte die Polizistin. »Sonst wirst du im Leben noch etlichen Schuhen tschüss sagen müssen.«

»Tsüss, tsüss, Ssuh!«, trällerte Tutzi und machte winke, winke.

Die U-Bahn-Polizistin fiel aus allen Wolken. »Woher weiß sie meinen Namen?«

»Was? Sie heißen Schuh?«, fragte Futsch.

»Nein, aber Sue.«

Mir war nicht danach, der Polizistin lange zu erklären, dass unsere kleine Schwester noch kein *Sch* aussprechen konnte.

Dann endlich kamen wir bei Jimmys neuem Haus an. In SoHo sind die Straßen schmal und mit Kopfsteinen gepflastert. Diese Gegend ist wirklich sehr alt. Die Gebäude hier waren früher alle Fabriken gewesen, aber in den meisten befinden sich heute im Erdgeschoss Läden oder Kunstgalerien und darüber sind die Lofts. Ein Loft ist eine ausgebaute Fabriketage, falls das jemand nicht weiß.

Papa sagte, er käme mich in anderthalb Stunden wieder abholen. Ich sagte ihm, er könne sich ruhig Zeit lassen.

Der Loft der Fargos entpuppte sich als riesiger, hoher Raum mit einem alten Holzfußboden und einer Wellblechdecke.

»Ganz schön cool, hm?«, fragte Jimmy. »Soll ich dir sagen, wie viele Fenster wir haben? Sechzehn! Willst du nachzählen?«

»Nein, ich glaub's dir«, erwiderte ich. Es waren riesige Fenster, die vom Fußboden bis zur Decke reichten.

»Weißt du, wie hoch der Raum ist?«, fragte Jimmy weiter. Aber er wartete gar nicht erst, bis ich eine erste Schätzung abgeben konnte. »Fünf Meter. Willst du nachmessen?«

»Nein, schon gut. Ich sehe, dass er echt hoch ist.« Ich blickte mich um. »Hier drin könnte man eine Kegelbahn aufbauen«, sagte ich andächtig.

»Stimmt«, erwiderte Jimmy. »Oder ein Basketballfeld.«

»Man könnte skaten.«

»Oder alles unter Wasser setzen und Eishockey spielen«, schlug Jimmy vor.

»Eishockey?«, fragte ich verwirrt.

»Reingefallen!«, rief er lachend und bohrte mir einen Finger in die Rippen.

»Ich hasse es, wenn du das tust«, knurrte ich.

»Ich weiß ... Deshalb mach ich es auch so gern. Komm mit, ich zeig dir auch den Rest.«

Es gab allerdings nicht sehr viel mehr zu sehen. An einer Wand stapelten sich Frank Fargos Gemälde. Es gab auch zwei mit Farbklecksern übersäte Werktische. Die Pinsel standen in alten Kaffeebechern. Es roch gut, wie im Kunstraum in der Schule. Richtige Möbelstücke waren keine zu sehen, doch das war keine große Überraschung, denn Möbel hatten die Fargos auch vorher keine gehabt. Am entgegengesetzten Ende des Lofts befand sich die Küche. Türen gab es keine, abgesehen von der zum Bad.

»Und genau hier«, sagte Jimmy und stellte sich auf ein großes X, das mit Kreide auf den Boden gemalt war, »werden wir zwei Schlafzimmer einbauen, eines für mich und eines für Papa und …« Er verstummte und blickte gedankenverloren zum Fenster hinaus. Dann starrte er wieder auf den Fußboden. »Ach so, ja, und ein zweites Bad bekommen wir auch, damit jeder sein eigenes hat.«

»Ich hätte auch nichts gegen ein eigenes Bad, statt meines mit Futsch und Tutzi teilen zu müssen. Futsch benutzt zumindest die Toilette. Die halbe Zeit vergisst er zwar, die Spülung zu benutzen, aber immer noch besser als ein Töpfchen. Nicht, dass Tutzi ihren Topf als etwas anderes als einen Sitzplatz benutzt, aber eines Tages wird sie es tun und dann …«

»Und ich kriege ein Hochbett«, fuhr Jimmy fort, »dann kannst du bei mir übernachten. Vielleicht legen wir uns sogar einen Hund zu.«

»Einen Hund?« Ich war überrascht. Mr Fargo hat Turtle eigentlich nie gemocht und Turtle ist auch nicht direkt verrückt nach Mr Fargo. »Was für einen Hund?«

»Einen Yorkie, glaube ich.«

»Ein Yorkie? Die sind ja winzig!«

»Ich weiß.«

Ich versuchte, mir Jimmy und seinen Vater mit einem Yorkshireterrier vorzustellen, doch es klappte nicht so recht.

»Na, wie wär's mit einer Runde Socken-Hockey?«, fragte Jimmy.

Socken-Hockey ist ein Spiel, das Jimmy und ich erfunden haben. »Ja, klar«, sagte ich und zog mir die Schuhe von den Füßen. Jimmy gab mir einen Besen, schnappte sich selbst auch einen, warf eine Tüte Gummibärchen als Puck auf den Boden und das Spiel konnte beginnen. Wir hatten noch nie einen so tollen Raum zum Spielen gehabt. Wir rannten oder rutschten von einem Ende des Lofts zum anderen, ohne Angst zu haben, wir könnten eine Lampe herunterreißen oder ein Möbelstück umwerfen. Und zwar nicht nur deshalb, weil es keine Lampen oder Möbel gab, sondern auch, weil der Raum so riesig war.

Wir waren total in unser Spiel vertieft, als es auf einmal an der Tür klopfte. »Oh je …«, sagte Jimmy. Er wischte sich sein verschwitztes Gesicht am Saum seines T-Shirts ab und ging an die Tür. »Wer da?«, rief er.

»Ich bin's, Goren …, euer Nachbar von unten.« Der Mann sprach langsam und mit einem Akzent, den ich nicht einordnen konnte.

»Mach lieber nicht auf«, flüsterte ich.

»Goren ist wirklich unser Nachbar von unten«, flüsterte Jimmy zurück. »Ich hab ihn heute früh getroffen.«

Ich schüttelte den Kopf. »Aber lass die Sicherheitskette zu.«

»Mein Vater wird in ein paar Minuten wieder hier sein«, rief Jimmy durch die verschlossene Tür. Dabei hatte er in Wirklichkeit keine Ahnung, wann Frank Fargo wieder eintrudeln wollte.

»Was ist denn bei euch los?«, fragte Goren von der anderen Seite der Wohnungstür. »Dieses Trampeln und Pochen – man könnte grad meinen, die Decke käme jeden Moment herunter. Wie soll ich mich da auf meine Arbeit konzentrieren?«

»Oh …, tut mir Leid«, sagte Jimmy. »Wir waren nur am …, hm.«

»Möbel verrücken«, rief ich, um seinen Satz zu Ende zu bringen.

»Ah«, meinte Goren. »Ich hatte schon vermutet, ihr spielt Socken-Hockey.«

Jimmy und ich blickten uns verdutzt an. Wie konnte dieser Typ Socken-Hockey kennen? Schließlich hatten wir das Spiel erfunden. »Wir versuchen, etwas leiser mit unseren … unseren Kartons umzugehen«, versprach ihm Jimmy.

»Gut«, sagte Goren. »Dann kann ich ja versuchen, weiterzuarbeiten.«

Als er verschwand, stieß Jimmy ein erleichtertes *Puuuh* aus und wir stellten die Besen weg.

Als wir von SoHo nach Hause kamen, war Mama bereits da. »Na, wie war euer Tag?«, fragte sie.

»Sehr schön«, versicherte ihr Papa. »Wir hatten viel Spaß, nicht wahr, Jungs?«

»Es war schön bei Jimmy«, sagte ich.

»Und ich hatte viel Spaß in der U-Bahn«, ließ Futsch sich vernehmen. »Tutzi auch.«

»Na, dann sind wir uns ja alle einig«, sagte Mama. »Ich hatte nämlich auch einen schönen Tag bei der Arbeit.«

»Hurra, alle einig!«, trällerte Futsch zufrieden.

Erst da blickte Mamas nach unten und bemerkte, dass Futsch nur einen Schuh und einen mit Fransen und Perlen geschmückten Mokassin trug. »Wo hast du den her?«, fragte sie.

»Aus einem Laden«, erklärte ihr Futsch. »Der Mann hat ihn extra aus dem Schaufenster geholt. War ein Schnäppchen, nicht wahr, Papa?«

Papa nickte.

»Und wo ist dein anderer Schuh, Futschi?«, fragte Mama.

Futsch beschloss, auf diese Frage besser nicht zu antworten.

Papa legte einen Arm um Mamas Schulter. »Das ist eine lange Geschichte, Schatz.«

»Echt lang!«, konnte Futsch sich nicht verkneifen, lachend hinzuzufügen.

Als die U-Bahn-Polizei den fehlenden Schuh am nächsten Tag noch nicht aufgetrieben hatte, musste Mama noch einmal zu *Harry's* gehen, diesmal allerdings ohne Futsch. Sie kaufte das haargenau gleiche Paar Schuhe wie beim letzten Mal. Falls Futsch also demnächst ein drittes Bein wachsen sollte, wäre er schon perfekt ausgestattet. Und so, wie ich meinen Bruder kenne, würde ich sagen, bei ihm ist nichts unmöglich!

MR GELD

Statt wie früher eines seiner Bilderbücher mit ins Bett zu nehmen, blätterte Futsch neuerdings Kataloge durch. Er sucht darin nach Geschenken, die er sich zu Weihnachten und zum Geburtstag wünschen kann. In seinem Eifer hat er schon so viele Sachen angekreuzt, dass er mindestens bis zu seinem zwölften Geburtstag ausgesorgt hat. Unterwasserarmbanduhren, riesige Fernseher, einen ultramodernen DVD-Player, Digitalkameras, Teleskope, die so genau sind, dass man damit praktisch die Venus sehen kann. Und ein Wasser-Trampolin, das größer ist als sein und mein Zimmer zusammen.

»Schau mal hier, Pit!«, sagte er eines Abends.

Er zeigte mir eine Hängebrücke, über zwölf Meter lang. Sie kostete tausende von Dollars. »Oh, wirklich sehr nützlich«, sagte ich spöttisch.

»Ich weiß«, nickte er mit großem Ernst. »Onkel Feder wäre begeistert.«

Wir können von Glück sagen, dass Futsch noch keine Ahnung vom Internet hat.

Nachdem Futsch zum ersten Mal einen Nachmittag bei Richie Potter verbracht hatte, kam er mit vielen neuen Ideen nach Hause. »Wir brauchen eine größere Wohnung«, ließ er uns wissen.

»Stimmt, eine größere Wohnung wäre nicht schlecht«, sagte Mama. »Aber wir können froh sein, dass wir die haben, in der wir wohnen.«

»Aber Mama ..., ich brauche allein schon zwei Zimmer. Eines für mich zum Schlafen und eines für meine Spielsachen«, erklärte ihr Futsch und überlegte dann angestrengt. »Wenn du und Papa im Wohnzimmer schlaft, könnte ich in eurem Zimmer schlafen und die Spielsachen in *meinem* Zimmer lassen«, verkündete er dann.

»Träum schön weiter, Futsch!«, sagte ich grinsend.

»Ich träume doch nicht, Peter. Ich bin hellwach.«

Später kam er in meine Zimmerhälfte. Ich chattete gerade mit Jimmy Fargo, obwohl ich eigentlich einen Aufsatz für Gemeinschaftskunde schreiben sollte. Mama und Papa sollten das besser nicht wissen, sonst bekäme ich echt Ärger. Wenn ich meine Noten nicht halte, kommt der PC wieder ins Wohnzimmer, haben sie gedroht.

»Unsere Familie hat ein Problem«, erklärte mir Futsch. »Wir haben nicht genug Geld. Wir brauchen mehr. Und zwar schnell.«

»Nicht verzagen«, sagte ich grinsend. »Vielleicht gewinnen wir ja im Lotto.«

Seine Augen blitzten auf. »Lotto! Das ist es!«, rief er.

Doch als er Papa von seiner tollen Idee erzählte, meinte der nur: »Lotto zu spielen ist eine von vielen Möglichkeiten, sein Geld zum Fenster hinauszuwerfen.«

»Nein!«, widersprach Futsch. »Es ist eine Möglichkeit, schnell reich zu werden.«

»Futsch!«, sagte Mama. »Uns geht es doch gut. Wir sind glücklich und zufrieden. Wir freuen uns über die vielen Dinge, die wir uns leisten können. Wir haben einander, wir sind gesund und ...«

»Pah, das reicht vielleicht dir, *mir* nicht!«

»Das Ganze ufert langsam aus«, sagte Mama kopfschüttelnd zu Papa.

»Da muss ich dir Recht geben«, sagte Papa und runzelte die Stirn.

In der dritten Woche des neuen Schuljahrs sollte Futsch zum ersten Mal Hausaufgaben machen. Ich kann mich nicht erinnern, dass wir in der Vorschule oder auch in der ersten Klasse jemals Hausaufgaben machen mussten. Futsch machte sie auf dem Fußboden, vor dem Fernseher, während Mama und Papa die Abendnachrichten schauten. »Zeig mal her!«, sagte ich und schnappte mir sein Aufgabenblatt.

FÜLLE DIE LÜCKEN AUS
Ich mag ________
______ ist gut.
______ macht Spaß.
Ich träume oft von _____
Ich lese gern etwas über ______

Ich zeichne gern _______
Ein guter Name für mich wäre ______

»Wie soll der arme Kerl die Lücken ausfüllen, wenn er noch gar nicht schreiben kann?«, fragte ich meine Eltern.

»Ich kann wohl schreiben!«, widersprach Futsch empört.

»Klar ..., maximal drei Wörter.«

»Mehr brauche ich auch nicht«, erklärte er mir und riss mir das Blatt wieder aus der Hand.

In Windeseile kritzelte er etwas in die Lücken und murmelte dabei immer wieder vor sich hin: »Das ist ja kinderleicht.« Dann reichte er mir voller Stolz sein Werk.

FÜLLE DIE LÜCKEN AUS
Ich mag Geld.
Geld ist gut.
Geld macht Spaß.
Ich träume oft von Geld.
Ich lese gern etwas über Geld.
Ich zeichne gern Geld.
Ein guter Name für mich wäre Mr Geld.

Zwei Tage später musste Futsch bei der Schulpsychologin einen Test machen.

»Es war total lustig«, berichtete er uns am Abend. »Wir haben ein paar Spiele gemacht und Bilder gemalt. Ratet mal, was ich gemalt habe!« Allerdings ließ er uns keine Zeit dazu. »Geld! Ich habe Dollarscheine mit Flügeln gemalt. Ganz viele.«

»Gedd …«, trällerte Tutzi.

Mama und Papa bekamen kurz darauf einen Anruf von der Schulpsychologin, die sie sprechen wollte. An einem Mittwochnachmittag gingen sie zu ihr. Großmutter passte so lange auf Tutzi auf. Als meine Eltern heimkamen, war Mama ziemlich fertig. »Weißt du, was die Psychologin uns gefragt hat?«, sagte sie empört zu Großmutter. »Sie hat gefragt, ob wir Probleme hätten. Ob wir arbeitslos wären oder sonst irgendwie finanzielle Hilfe bräuchten. War das peinlich!«

Großmutter machte Mama eine Tasse Tee. »Du darfst es nicht persönlich nehmen, Anne«, sagte Großmutter. »Sie macht doch nur ihre Arbeit.«

»Das war aber noch nicht alles«, fuhr Mama fort. »Sie sagte, wir sollen unseren Kindern nicht einfach nur Sachen *kaufen*, sondern ihnen begreiflich machen, dass die wichtigsten Dinge im Leben umsonst sind. Als ob wir das nicht täten!« Mama klang verbittert. »Mir fällt beim besten Willen nicht ein, was wir mit Futsch machen sollen.«

»Es wird vorbeigehen, meine Liebe«, sagte Großmutter tröstend.

»Und was, wenn nicht?«, fragte Mama.

»Darüber können wir uns immer noch Gedanken machen, wenn es so weit ist«, sagte Großmutter abschließend.

Als Mama an diesem Abend in mein Zimmer kam, um mir gute Nacht zu sagen, setzte sie sich zu mir auf die Bettkante. »Peter, ich habe eine Frage …, haben Papa und ich euch nicht zu verstehen gegeben, dass die wichtigsten Dinge im Leben kein Geld kosten ..., zum Beispiel Gesundheit, Liebe und Freundschaft? Das versuchen wir euch doch vorzuleben, nicht wahr?«

»Ja, Mama ..., klar.«

»Und es ist dir doch klar, dass Menschen, die unglaublich reich sind, nicht unbedingt auch glücklich sind, oder? Das weißt du doch auch, Peter, stimmt's?«

»Klar, Mama. Das weiß ich. Und egal, wie viel Geld Jimmy auch hätte, er könnte es nicht schaffen, seine Eltern wieder zusammenzubringen. Er könnte nicht einmal machen, dass sie einander wieder mögen.«

Mamas Augen schimmerten verdächtig feucht.

»Aber weißt du, Mama ..., es ist nicht so, dass ich jeden Tag über solche Dinge nachdenke.«

»Worüber denkst du nicht jeden Tag nach?«

»Ich meine, ich stehe nicht jeden Morgen auf und sage: Wow, die tollsten Sachen im Leben sind umsonst!«

»Woran denkst du dann?«

»Als Erstes am Morgen, meinst du?«

Mama nickte.

»Hm, ich weiß nicht. Meistens denke ich mir, dass es schön wäre, noch ein bisschen länger schlafen zu können. Oder ich frage mich, ob ich auch genug für die Spanischarbeit gelernt habe. Oder ich denke an die *Mets* oder die *Knicks* oder die *Rangers*, je nach Spielsaison.«

»Aber du stehst nicht auf und denkst als Erstes an Geld, oder?«

»Nein, natürlich nicht. Vielleicht, wenn wir echt arm wären und nicht genug zu essen hätten ..., aber selbst dann würde ich wahrscheinlich eher ans Essen denken als an Geld.«

»Hauptsache, Geld ist nicht an erster Stelle in deinem Kopf«, sagte Mama. »Oder auch nur Nummer zwanzig.«

»Nein, wenn ich eine Liste machen würde, käme Geld vermutlich nicht vor«, versicherte ich ihr.

»Danke, Peter. Du hast mir sehr geholfen«, sagte sie erleichtert.

DIE GRÜNEN SCHEINCHEN

Es war Großmutters Idee, mit Futsch nach Washington, D. C. zu fahren, in die Staatliche Druckerei. »Zeigt ihm die grünen Scheinchen, wie sie druckfrisch aus der Presse kommen«, sagte sie zu Papa, während die beiden gemeinsam das Geschirr abspülten.

»Was für grüne Scheinchen?«, fragte Futsch. Sie hatten gedacht, er wäre längst im Bett, aber ich hatte ihn unter den Küchentisch krabbeln sehen. Dort hatte er alles mit angehört.

»Futsch, was hast du da unter dem Tisch zu suchen?«, fragte Mama, die gerade Tutzi in ihr Bett gebracht hatte. »Du solltest längst schlafen.«

»Ich kann erst schlafen, wenn ich das mit den grünen Scheinchen weiß.«

»Was für grüne Scheinchen?«, fragte Mama.

»Weiß nicht«, antwortete Futsch. »Aber das will ich gerade herauskriegen.«

»Die grünen Scheinchen sind *Geldscheine*«, erklärte Großmutter.

»Oh, Geld!«, rief Futsch. »Ich liebe Geld!«

»Das ist uns bekannt«, antwortete ich.

»Backst du mir welche?«, fragte Futsch Großmutter lachend.

Großmutter lachte mit ihm, doch dann schüttelte sie den Kopf. »Nein, Geld backt man nicht. Die Regierung lässt es *drucken*.«

»Ich kann auch drucken«, meinte Futsch eifrig. »Ich habe ganz viele Buchstaben in meinem Druckerkasten.«

»Das wissen wir«, sagte ich gelangweilt.

»Futsch!«, sagte Mama. »Komm sofort unter dem Tisch hervor. Sonst haben wir keine Zeit mehr für eine Gutenachtgeschichte.«

»Großmutter soll mir heute was vorlesen.«

»Welche Ehre!«, sagte Großmutter.

»Liest du mir eine Geschichte von den grünen Scheinchen vor?«

»Ich glaube nicht, dass es Geschichten über die grünen Scheinchen gibt«, antwortete Großmutter. »Aber vielleicht denke ich mir eine aus. Eine Geschichte über einen kleinen Jungen, der so versessen war auf Geld, dass …«

»Dass was?«, rief Futsch gespannt. »Dass er es aufgegessen hat? Weil er es zum Fressen gern hatte?« Futsch lachte sich halb tot über seinen eigenen Scherz.

»Das wirst du erst erfahren, wenn du im Bett liegst und ich dir die ganze Geschichte erzähle«, sagte Großmutter. So, wie sie die Lippen zusammenpresste, war mir klar, dass sie noch keine Ahnung hatte, wie die Geschichte weitergehen sollte.

Am nächsten Morgen berichtete uns Großmutter, dass Futsch völlig begeistert gewesen war von ihrer Geschichte über einen kleinen Jungen, der nach Washington fuhr, um herauszufinden, wie man Geld herstellte. Mama und Papa nahmen dies als gutes Omen.

»Eine kleine Reise dorthin kann ja nicht schaden«, meinte Mama. »Weißt du noch, wie ihr damals mit mir hingefahren seid?«, fragte sie Großmutter.

»Oh ja, das weiß ich noch gut.«

»Vielleicht versteht Futsch dann endlich, wie das mit den grünen Scheinchen ist«, sagte Papa. »Eine gute Idee, Muriel.«

Großmutter strahlte.

»Wir waren seit einer Ewigkeit nicht mehr in Washington«, sagte Mama.

»Ich war überhaupt noch *nie* dort«, sagte ich. »Jimmy Fargo hat gesagt, das Museum für Luft- und Raumfahrt sei super. Gehen wir da auch hin?«

»Klingt ganz interessant«, sagte Papa.

Großmutter erbot sich, in der Zwischenzeit in unsere Wohnung zu ziehen und sich um Tutzi, Turtle und Onkel Feder zu kümmern.

Und eine Woche später, als wir wegen einer Lehrerfortbildung zwei Tage schulfrei hatten, machten wir uns auf den Weg nach Washington, D. C.

Wir mussten früh los und frühstückten erst im Zug. Futsch war total begeistert vom Bistro-Wagen. Kaum hatten wir unser Essen in unser Großraum-Abteil getragen, als er auch schon wieder losgehen und Nachschub holen wollte. Mama und Papa saßen in der Reihe vor uns, weshalb er nur mich nerven konnte. »Komm schon, Pit …, gehen wir noch mal in den Bistro-Wagen!«

»Ich esse noch«, erklärte ich ihm und trank genüsslich einen Schluck Orangensaft.

Er schwieg – aber nur etwa zwei Minuten lang. Dann begann er erneut: »Sind wir bald da, Pit?«

»Nein, wir sind *nicht* bald da. Wir sind doch gerade erst losgefahren. Die Fahrt nach Washington dauert ungefähr drei Stunden. Also, schau dir eines deiner Bücher an, male ein Bild oder mach sonst was.«

Ich holte meinen *Electroman Advanced Plus* heraus. Doch kaum hatte ich ein Spiel angefangen, als Futsch auch schon seine Patschhand auf das Display legte. »Gehst du jetzt noch mal mit mir in den Bistro-Wagen?«

»Wirst du mich danach in Ruhe lassen?«

»Klar, Pit.«

Ich bat Papa um etwas Geld. Er erinnerte mich daran, Futsch keine Süßigkeiten zu kaufen. Als ob ich das nicht selber wüsste. »Eine Banane wäre okay«, sagte Papa. »Und vielleicht ein Saft, aber keine Limonade.«

Der Bistro-Wagen war drei Waggons weiter vorne. Futsch hatte natürlich auf Anhieb begriffen, wie man die Schiebetüren am Ende der Waggons öffnete, und so stellte er sich ständig wild winkend davor. Vor Freude kreischend raste er durch den Zug. »Zugfahren ist toll, Peter! Am liebsten würde ich jeden Tag mit dem Zug fahren.«

»Wir fahren in New York ja auch viel U-Bahn«, erinnerte ich ihn.

»Ja, aber in der U-Bahn gibt es keinen Bistro-Wagen und die Sitze sind auch nicht so schön weich. Und wenn man aus dem Fenster guckt, ist draußen alles schwarz.«

»Klar, die U-Bahn fährt ja auch unter der Erde.«

»Echt? Das hab ich nicht gewusst!«

»Tja, jetzt weißt du es.«

»William hat gesagt, wir sollen jeden Tag etwas Neues lernen.«

Ich schnaubte nur.

»William ist klug. Er ist der klügste Lehrer der Welt.«

Ganz bestimmt, dachte ich mir.

Im Bistro-Wagen bekam Futsch eine Banane und einen Saft. Während ich noch bezahlte, schälte Futsch die Banane aus ihrer Schale und steckte sich gleich die Hälfte in den Mund. Seine Wangen blähten sich auf und er konnte nicht einmal mehr *Piep* sagen. Er bestand darauf, den kleinen Pappbecher, in dem der Rest seiner Banane steckte, und seinen Saft selbst zu tragen. Doch auf dem Rückweg zu unseren Plätzen legte sich der Zug in eine Kurve und Futsch verlor das Gleichgewicht. Er landete auf dem Schoß einer Frau in einem roten Kostüm, der er seine breiige, halb zerkaute Banane über den Rock spuckte.

»Geh weg!«, kreischte sie. »Warum nimmt niemand dieses kleine Ekel weg von mir!« Sie stieß Futsch von sich, als wäre er ein sabbernder Hund oder etwas noch Schlimmeres. »Iiiih!«, rief sie. »Schau nur, was du angerichtet hast! Mein

Kostüm ist ruiniert!« Sie wandte sich an den Mann, der auf der anderen Seite des Gangs saß. »Können Sie sich das vorstellen! Und dabei habe ich einen Termin im Weißen Haus!« Dann blickte sie mit zornfunkelnden Augen wieder auf Futsch, der sich gerade mühsam vom Boden aufrappelte. »Weißt du überhaupt, wer im Weißen Haus wohnt?«, zischte sie ihn an.

»Klar, der Präsident«, erwiderte Futsch.

»Richtig! Und dem werde ich erzählen, warum ich diese Flecken auf meinem Kostüm habe!« Sie sprang auf und eilte zum hinteren Teil des Waggons, wo eine Toilette war.

»Sag ihm, es ist nur Banane!«, rief Futsch ihr nach. »Und sag ihm auch, wer es war. Es war Farley Drexel Hatcher, aber er kann ruhig Futsch zu mir sagen.«

Ich packte ihn im Genick und schleppte ihn mit sanfter Gewalt zurück zu unseren Plätzen. Nie im Leben würde ich jemals wieder mit ihm in den Bistro-Wagen gehen, das schwor ich mir.

Als wir schließlich in Washington ankamen, führte uns unser erster Weg in die Staatliche Druckerei. Das ist der Ort, wo die *grünen Scheinchen* gedruckt werden. Wir meldeten uns zur Führung an und stellten uns zu einer Gruppe von ungefähr zwanzig Personen. Die Frau, die uns herumführen sollte, hieß Rosi. Rosi hatte braune Augen, rote Haare und große Zähne.

Bevor die offizielle Führung begann, erzählte uns Rosi, was wir gleich sehen würden. *Fun*-Fakten, nannte sie diese Informationen. Ich beschloss, ihre *Fun*-Fakten in mein Notizheft zu schreiben, falls jemals einer meiner Lehrer auf die Idee kommen sollte, uns über die US-Währung abzufragen.

»*Fun*-Fakt Nummer eins«, begann Rosi. »Hier in der Staatlichen Druckerei werden pro Tag 37 Millionen Geldscheine produziert, das entspricht 696 Millionen Dollar.«

Futsch hob die Hand und fragte: »Sind Dollars dasselbe wie Dukaten?«

Rosi erklärte ihm, dass es viele Bezeichnungen für Geld gebe. »Manche Leute sagen Kies, andere Kohle …«

»Wie wär's mit Schotter oder Zaster?«, meldete sich ein Mann. Ein paar andere lachten. Wieder andere murrten nur.

»Ja«, sagte Rosi. »Es gibt alle möglichen Bezeichnungen.«

»Auch grüne Scheinchen?«, rief Futsch. »Das sagt meine Großmutter immer.«

Diesmal lachte fast die ganze Gruppe. Beinahe rechnete ich damit, Futsch würde sich gleich geschmeichelt verbeugen. Doch Rosi schaute auf ihre Uhr und bat die Gruppe, sich ihre Fragen und Kommentare zu verkneifen, bis sie alle ihre *Fun*-Fakten vorgestellt hätte. Dann führte sie uns zu einem Metalldetektor. Futsch wollte prompt wissen, ob wir ein Flugzeug besteigen würden. Rosi erklärte ihm, dass das nicht der Fall sei, doch da wir in einem Regierungsgebäude wären, müsse man sich vergewissern, dass niemand eine Waffe bei sich habe.

»Eine Waffe?«, sagte Futsch verdutzt, kurz bevor Papa den Alarm auslöste. Vermutlich hätte niemand groß darauf geachtet, wenn Futsch nicht lauthals gebrüllt hätte: »Papa! Hast du eine Waffe bei dir?« Da drehten natürlich alle den Kopf.

»Das war doch nur seine Gürtelschnalle, Spatzenhirn!«, sagte ich.

Rosi holte tief Luft und blickte erneut nervös auf ihre Uhr. Sie lächelte zwar noch, sah aber nicht mehr allzu glücklich aus. Sie führte uns durch einen langen Korridor. Wir folgten ihr im Gänsemarsch durch schmale Gänge, die sich verzweigten und immer labyrinthischer wurden. Die alten Holzbalken knarrten unter unseren Schritten. Alle paar Minuten blieben wir vor einer der großen Glasscheiben stehen, hinter denen wir sehen konnten, wie die *grünen Scheinchen* produziert wurden. Immer wenn sich die Menge nach vorn drängte, um einen guten Blick zu haben, kämpfte Futsch sich in die vorderste Reihe durch, kroch, wenn es sein musste, auch zwischen Beinen hindurch, nur um alles genau sehen zu können. Er winkte den Angestellten in den Räumen unter ihm fröhlich zu. Ich hörte, wie er leise vor sich hin summte: »Oh, Geld, Geld, Geld ..., ich liebe Geld, Geld, Geld ...«

Oh je, ich glaube nicht, dass es eine gute Idee von meinen Eltern war, ihn hierher zu bringen.

Wir sahen, wie die *grünen Scheinchen* gedruckt, zugeschnitten, gestapelt und gezählt wurden. Gegen Ende unserer Führung winkte Rosi Futsch zu sich, damit er neben ihr gehen konnte, da er so viel Interesse gezeigt hatte.

»Ich liebe Geld!«, teilte er ihr mit.

»Nun, dann bist du hier ja richtig«, meinte Rosi.

»Willst du meines mal sehen?« Ohne ihre Antwort abzuwarten, zog Futsch ein Bündel Futsch-Dukaten aus seiner Tasche. »Hab ich alles selbst gemacht. Toll, nicht wahr?«

»Spielgeld ist okay«, antwortete ihm Rosi, »aber nur solange man nicht versucht, es auszugeben oder als echtes Geld unter die Leute zu bringen, denn damit handelt man sich großen Ärger ein.«

»Warum?«, wollte Futsch wissen.

»Na, so ist eben das Gesetz«, erklärte Rosi resolut, was Futsch bis zum Ende der Führung verstummen ließ. Doch als Rosi dann fragte, ob noch jemand eine spezielle Frage hätte, schoss Futschs Hand wieder als erste hoch. Rosi schien nicht sehr erfreut, hatte aber keine andere Wahl. Sie musste ihn drannehmen.

»Ich weiß immer noch nicht, wie man möglichst viel auf einmal machen kann«, sagte Futsch.

»Möglichst viel was?« Rosi klang verwirrt.

»Geld!«, brüllte Futsch.

Mama fühlte sich verpflichtet einzugreifen und versuchte, die Sachlage zu erklären. »Wissen Sie, Futsch zeigt in letzter Zeit ein völlig übertriebenes Interesse an Geld«, sagte sie zu Rosi. »Und wir hatten gehofft, unser Besuch hier …«

»Mag ja sein«, antwortete Rosi ungnädig. »Aber vielleicht müsste jemand dem jungen Mann mal den Kopf zurechtrücken.«

»Überlassen Sie das ruhig mir!«, meldete sich ein großer Mann mit silbergrauen Haaren zu Wort. »Zuerst einmal, junger Mann, musst du eine gute Schulausbildung haben. Wenn du dann erwachsen bist, brauchst du einen gut bezahlten Job. Dann kannst du jeden Monat etwas von deinem Gehalt sparen. Dieses Ersparte musst du gut investieren, damit es für dich arbeitet. Und wenn du eines Tages mal so alt bist wie ich, hast du mit etwas Glück ein kleines, gemütliches Nest, in dem du deinen Lebensabend verbringen kannst.«

Der Rest der Gruppe klatschte Beifall.

Doch Futsch war noch lange nicht zufrieden. »Aber vielleicht kriegt man es auch von jemandem geschenkt?«, sagte er hoffnungsvoll.

Man hörte das Zungenschnalzen und Flüstern der Gruppe. Ich hörte eine Stimme sagen: »Ein hoffnungsloser Fall …«

In diesem Moment verkündete Rosi, dass gleich die nächste Führung beginnen würde und wir in den Souvenirladen gehen sollten. »Der Souvenirladen wird dir gefallen«, sagte sie zu Futsch. »Er gefällt allen Kindern.«

»Souvenirladen?«, sagte Mama entsetzt. »Warren, hast du gewusst, dass es hier einen Souvenirladen gibt?«

Papa brummte etwas Unverständliches.

EIN COUSIN AUS HEITEREM HIMMEL

Rosi hatte sich nicht getäuscht. Futsch war begeistert vom Souvenirladen. Alles, was es hier zu kaufen gab, war mit Dollarzeichen versehen. Wirklich alles! Shirts, Socken, Krawatten; Bleistifte, Notizblocks, Schneekugeln – was immer man sich nur denken konnte, alles war mit Dollars geschmückt.

»Das ist ja noch toller als die Führung!«, trällerte Futsch und rannte wie ein Irrer hin und her. Er war völlig fasziniert von einem drei Kilo schweren Plastiksack mit klein gehäckseltem Geld, der mindestens zehntausend Dollar in Scheinen enthalten sollte. Man konnte ihn für fünfundvierzig Dollar kaufen. »Pit, schau nur! Zehntausend Dollar in einem soooo kleinen Beutel.«

»Ja, aber es sind ja nur kleine Schnipsel, also sind sie gar nichts wert.«

»Mensch, Pit!«, flüsterte er und boxte mich in die Seite. »Daheim klebe ich alle Scheine wieder zusammen. Dann können wir uns alle Spielsachen der Welt kaufen.«

»Selbst wenn du sie wieder zusammenklebst, wäre es

Falschgeld«, versuchte ich ihm zu erklären. »Und wenn du es ausgeben wolltest, kämst du ins Gefängnis.«

»Und außerdem sind fünfundvierzig Dollar viel zu viel Geld, um es einfach zum Fenster hinauszuwerfen«, warf Papa ein.

»Wie wäre es dann mit einer Fünf-Dollar-Tüte?«, schlug der Verkäufer vor und hielt prompt einen kleineren Beutel hoch.

Futsch war begeistert. »Au ja, einen für mich und einen für Richie!«

»Der reiche Richie braucht keine Papierschnipsel«, sagte ich.

»Und du, Pit?«

»Ich auch nicht.«

»Na schön«, sagte Futsch. »Dann eben nur einen für mich.«

Während Papa bezahlte, düste Futsch noch einmal durch den Laden. »Oh, eine Krawatte!«, rief er. »Ich brauche unbedingt diese Krawatte! Mama, bitte, bitte! Kaufst du mir diese Krawatte mit den vielen Dollars darauf?«

Mama drängelte sich zu ihm durch. »Wozu brauchst du denn eine Krawatte?«

»Na, zum Anziehen«, erklärte Futsch. »Bitte, Mama! Ein ganz, ganz liebes Bitte!«

»Na schön ...« Mama gab klein bei. »Aber dann reicht es wirklich!«

»Und was ist mit Tutzi?«, fragte Futsch.

»Tutzi braucht nichts aus diesem Laden«, sagte Mama. »Sie versteht noch nichts von Geld.«

»Trotzdem!«, beharrte Futsch. Dann rannte er wieder los und lachte dabei wie ein Verrückter.

Ich wandte mich an Mama und Papa. »So, so, ihr glaubt also, Futsch sei jetzt geheilt?«

Sie blickten mich an, als wäre ich hier der Verrückte. Dann sagte Papa seufzend: »Kommt, verschwinden wir von hier!«

Während wir unsere Sachen einsammelten, raste Futsch ein weiteres Mal durch den Souvenirladen. »Papa …«, sagte er auf einmal. »Schau mal, der Mann da hinten glotzt dich so komisch an.«

»Was für ein Mann?«, wollte Papa wissen.

»Na, der da!«, erklärte Futsch und zeigte quer durch den Laden.

»Nicht mit dem Finger!«, zischte Mama warnend. »Das gehört sich nicht.«

»Woher soll Papa dann wissen, welchen Mann ich meine?«

»Gute Frage«, warf ich ein. »Ziemlich voll hier.«

»Peter, bitte …«, sagte Mama kopfschüttelnd. Dann wandte sie sich wieder an Futsch. »Du kannst ihn auch beschreiben, statt mit dem Finger auf ihn zu zeigen.«

»Okay«, meinte Futsch ungerührt. »Also, Papa, der Mann da, der ein bisschen aussieht wie du, glotzt dich dauernd an.«

»Er glotzt nicht, er schaut her«, korrigierte ich Futschs Wortwahl.

Inzwischen kam der fragliche Mann zielgerichtet auf uns zumarschiert. Er ging direkt auf Papa zu. Er war stattlich – größer und schwerer als Papa. Seine Stimme dröhnte durch den ganzen Laden. »Entschuldigung, aber das sind doch eindeutig Hatcher-Augen und auch ein Hatcher-Kinn, und wenn ich es nicht besser wüsste, würde ich schwören, dass ich einen waschechten Hatcher vor mir habe!« Er streckte die Hand aus und stellte sich vor. »Gestatten, Howard Hatcher aus Honolulu, Hawaii.«

Im ersten Moment war Papa wie vom Donner gerührt. »Nein«, stammelte er dann. »Das kann doch nicht sein. Wollen Sie mir etwa erzählen, Sie seien mein Cousin Howie Hatcher?«

»Ja, ja, wie er leibt und lebt. Mensch, du musst mein Cousin Pummel sein, hab ich Recht?«

»Cousin *Pummel*?«, wiederholte Futsch verwundert.

Ehrlich gesagt war ich ebenso verdutzt wie er, doch im Gegensatz zu Futsch spreche ich nicht alles aus, was mir durch den Kopf geht.

»Inzwischen nennt man mich Warren«, teilte Papa seinem Cousin Howie mit.

Cousin Howie gab Papa einen freundschaftlichen Schlag auf die Schulter. »Hast ein paar Pfündchen verloren, seit wir uns das letzte Mal gesehen haben, hm? Damals warst du noch eine richtige kleine Kugel.« Er lachte. »Ein richtiger kleiner Fettkloß.«

Papa zog erschrocken den Bauch ein und richtete sich zu seiner vollen Größe auf.

»Du solltest ein bisschen Sport treiben, Pummel!«, fuhr Howie unbeirrt fort und bohrte Papa seinen Zeigefinger in den Bauch.

»Ich *treibe* Sport, Howie!« Papa hatte auf einmal einen komischen Ausdruck im Gesicht, ganz, als würde er sich wünschen, er hätte diesem Mann vorhin erklärt, er müsse sich irren. Und er hätte niemals einen Cousin namens Howie gehabt.

»Na, dann musst du eben noch etwas mehr machen«, fuhr Cousin Howie fort. »Mal einen oder zwei Marathons laufen.«

Das kam mir nun wirklich sehr merkwürdig vor, weil Papa um etliches schlanker und drahtiger aussah als sein Cousin Howie, der seine Aufmerksamkeit jetzt auf Futsch und mich verlagerte. Prompt ertappte ich mich dabei, dass ich mich kerzengerade aufrichtete, die Schultern reckte und den Bauch einzog.

»Tja, deshalb haben wir dich früher auch Pummel genannt«, fuhr Howie fort, als hätten wir es nicht längst begriffen. »So, so, Pummel ..., diese hübschen jungen Männer gehören also zu dir?«

»Ja, das ist meine Familie«, sagte Papa. »Meine Frau Anne ...«

Cousin Howie küsste Mama die Hand. »Sie sind also die Lady, die Pummels Herz erobert hat.« Mama sah auf einmal aus, als müsse sie sich gleich übergeben.

»Und das sind meine Söhne«, fuhr Papa fort. »Peter und Futsch!«

»Futsch!«, rief Cousin Howie. »Ist es zu fassen!«

»Eigentlich heißt er Farley Drexel«, erklärte Papa hastig. »Wir nennen ihn aber Futsch.«

»Farley Drexel!« Cousin Howies Stimme dröhnte so laut, dass ich einen Satz rückwärts machte. »So ein granatenmäßiger Zufall!«

Futsch zupfte mich am Ärmel. »Was ist ein granatenmäßiger Zufall?«, wollte er wissen.

»Hm, das ist, wenn etwas passiert, mit dem man absolut nicht gerechnet hat«, erklärte ich ihm leise.

»Mit Cousin Howie haben wir nicht gerechnet, stimmt's?«

»Nein«, sagte ich. »Mit ihm haben wir definitiv nicht gerechnet. Aber das ist eigentlich mehr eine Überraschung als ein Zufall.«

Cousin Howie war ebenfalls nicht allein. Er stellte uns seine Frau vor, Eudora, eine stämmige Person mit Sommersprossen, Puppengesicht und strohblonden Haaren. »Herzblatt«, sagte er zu ihr, »ich möchte dir meinen lang verschollenen Cousin Pummel vorstellen.«

»Warren!«, verbesserte ihn Papa mit einem leicht verkniffenen Lächeln.

»Nur weiter so«, sagte Cousin Howie. »Wenn du es mir oft genug sagst, werd ich es mir vielleicht irgendwann merken.«

Papa holte tief Luft, während Eudora ins Schwärmen geriet. »Nein, wie schön! Howie hat mir schon so viel von dir erzählt, Pummel!«

»Warren«, sagte Papa erneut. »Ich heiße *Warren.*«

»Oh, natürlich«, sagte sie lachend. »Inzwischen willst du ja sicher nicht mehr mit dem Spitznamen herumlaufen, den du als Kind hattest. Man stelle sich vor – ein erwachsener Mann, der *Pummel* gerufen wird. Das wäre nun wirklich zu peinlich, nicht wahr?«

»Ehrlich gesagt ist Howie der Einzige, der mich je so genannt hat«, ließ Papa sie wissen.

»Stimmt das?«, sagte Howie lachend. »Und ich habe immer gedacht, alle Welt würde dich Pummel nennen.«

Eudora schenkte Papa ein entzückendes Lächeln und sagte: »Was für ein Jammer, dass ihr euch aus den Augen verloren habt, als Howies Familie nach Hawaii zog. Ich weiß, wie sehr er dich vermisst hat.« Nach diesen Worten nahm sie Mamas Hand und sagte: »Ich habe jetzt schon das schöne Gefühl, als würden wir uns seit einer Ewigkeit kennen. Eine innere Bindung, nicht wahr?«

Noch ehe Mama die Chance gehabt hätte, in irgendeiner Form zu reagieren – zum Beispiel zu sagen: Wieso? Dieses Gefühl habe ich ganz und gar nicht. Wie um alles in der Welt könnte sich jemand, der einigermaßen normal im Kopf ist, sich mit dir und Cousin Howie verbunden fühlen? –, zwitscherte Eudora weiter. »Wie wunderbar! Wir hatten nie zu hoffen gewagt, jemals noch Verwandte aufzutreiben. Und dann passiert es ganz plötzlich, wie aus heiterem Himmel …« Sie zog Mama an sich und drückte sie an ihren gewaltigen Busen, bis Mama förmlich nach Luft rang.

Hilfe suchend blickte Mama auf Papa, als Futsch sich zu Wort meldete. »Ein granatenmäßiger Zufall!«

Eudora blickte etwas überrascht drein. »Ja, stimmt, ein wunderbarer Zufall.«

Meiner Meinung nach war das Ganze eher ein ziemlich seltsamer Zufall, da Papa uns noch nie von einem Cousin namens Howie erzählt hatte.

Doch die Überraschung nahm noch kein Ende. Wir sollten noch weitere Mitglieder unserer Familie aus Hawaii kennen lernen. Eudora stieß einen kurzen Pfiff aus und schon kamen zwei Mädchen in etwa meinem Alter angetrabt. »Jungs«, sagte sie zu Futsch und mir, »darf ich euch eure lang verschollenen Großcousinen vorstellen, Flora und Fauna Hatcher. Wir haben sie nach den natürlichen Schönheiten unserer Inseln benannt. Und so nennen wir sie auch …, unsere Naturschönheiten.«

Futsch lachte. Sein Lachen klang verdächtig wie eine Art Schluckauf. Ich boxte ihn in die Seite, woraufhin er sich rasch den Mund zuhielt. Ausgerechnet er, der ständig allen Leuten erzählt, man dürfe sich nicht über die Namen von anderen lustig machen! Okay, ich gebe zu, dass ich mir auch das Lachen verkneifen musste. Schließlich hatten wir erst neulich in Biologie gelernt, dass Flora *Pflanzenwelt* und Fauna *Tierwelt* hieß. Aber ich wollte mir unbedingt beweisen, wie meisterhaft ich mich beherrschen kann. Das ist man sich als Siebtklässler schuldig.

Überschwänglich redete Eudora wieder auf Mama und Papa ein, während Futsch und ich etwas ratlos vor den Naturschönheiten standen.

»Wir sind Zwillinge«, sagte eine von ihnen.

»Eineiige, falls ihr es nicht bemerkt habt«, ergänzte die andere.

»Wollt ihr wissen, wie man uns unterscheiden kann?«, fragte dann wieder die Erste.

»An euren Fingerabdrücken?«, riet Futsch.

»Im Falle, dass man unsere Fingerabdrücke nicht zur Verfügung hat«, sagte die Zweite. »Ich bin Flora und ich habe eine Narbe am Kinn.« Sie streckte ihr Kinn vor und deutete auf eine Narbe an der Unterseite. »Seht ihr?«

Nun übernahm die andere wieder das Wort. »Ich bin Fauna

und ich habe einen braunen Punkt im rechten Auge, aber man muss schon sehr genau hinschauen, um ihn zu sehen.«

Wer hätte dazu schon Lust?, dachte ich mir, während Futsch sich prompt auf die Zehenspitzen stellte, um in Faunas rechtes Auge zu starren, die sich entgegenkommend ein Stück zu ihm hinunterbeugte.

»Wie alt bist du?«, fragte mich Flora.

»Er ist zwölf«, erklärte Fauna und richtete sich wieder zu ihrer vollen Größe auf, was bedeutete, dass sie ein kleines bisschen größer war als ich.

»Woher weißt du das?«, fragte ich verblüfft.

»Ich errate immer, wie alt jemand ist«, antwortete Fauna.

»Und wie alt seid ihr?«, fragte ich zurück.

»Was denkst du?«, sagte Fauna.

»Ich hab keine Lust zu raten«, erwiderte ich.

»Er hat keine Lust zu raten«, wiederholte Fauna für Flora und beide begannen zu kichern.

Warum kichern Mädchen dauernd? Ich meine, finden sie wirklich alles zum Totlachen oder sind sie einfach so geboren?

»Wollt ihr wissen, wie alt ich bin?«, fragte Futsch. Doch er wartete wie üblich gar nicht erst die Antwort ab. »Ich bin fünf, aber bald werde ich sechs. Ich bin in einer gestörten Gruppe.«

»Was ist eine gestörte Gruppe?«, fragte Flora.

»Da darf man nach dem Kindergarten hingehen, wenn man echt schlau ist«, erklärte ihr Futsch. »Und Pit geht schon in die siebte Klasse.«

»In der siebten Klasse wären wir auch …«, begann Flora.

»Wenn wir überhaupt zur Schule gingen«, ergänzte Fauna.

»Hä?«, machte Futsch.

»Unsere Eltern unterrichten uns zu Hause«, erklärte Flora.

»Wer ist sonst noch in eurer Klasse?«, wollte Futsch wissen.

»Niemand«, antworteten sie im Chor.

»Abgesehen davon, dass unser Bruder manchmal zuhört«, sagte nur wieder Flora. Erst da dämmerte mir, dass der kleine Junge, der sich hinter den beiden Naturschönheiten versteckte, auch zur Familie gehören musste.

»Er ist fast vier«, sagte Fauna und machte eine kurze Pause, ehe sie etwas leiser fortfuhr: »Und obwohl man es noch nicht sieht …«

»… ist unsere Mutter wieder schwanger«, flüsterte Flora.

»Unsere Mutter war auch mal schwanger«, sagte Futsch, ebenfalls im Flüsterton.

»Nur einmal?«, fragte Flora spöttisch. Sie und Fauna blickten sich an und begannen wieder zu kichern.

»Das stimmt doch, Pit, oder?«

»Wie wär's mit dreimal?«, sagte ich. »Einmal mit mir, einmal mit dir und einmal mit unserer kleinen Schwester.«

»Oh, das mit dir und mir hab ich ganz vergessen«, sagte Futsch. Dann begann er zu hüpfen und trällerte aufgeregt: »Ich weiß, wie die Babys in den Bauch …«

»Das wissen wir alle«, sagte ich warnend, um ihn zu bremsen, ehe er ernsthaft losgelegt hätte.

Diesmal lachten Flora und Fauna aus vollem Halse. Dann trat Flora einen Schritt zur Seite und sagte: »Das ist unser kleiner Bruder. Falls ihr glaubt, ihr hättet interessante Namen, dann wartet mal, bis ihr seinen hört!«

»Er heißt ... Farley Drexel!«, verkündete Fauna triumphierend.

»Farley Drexel?«, rief Futsch verblüfft. »Aber so heiße doch *ich*!«

»Das kann nicht sein«, sagte Flora kopfschüttelnd.

»Ist es aber!«, sagte Futsch und stützte kämpferisch die Arme in die Hüften.

»Aber dieser Name ist eine Tradition in *unserer* Familie!«, sagte Fauna.

»Tja, wie wir gerade erfahren haben, sind unsere Väter Cousins, erinnert ihr euch?«, sagte ich.

»Du meinst ...«, begann Flora.

»... dass Farley Drexel Hatcher ...«, fuhr Fauna fort.

»... der Onkel *deines* Vaters war, genau wie der *unseres* Vaters!«, führte Flora ihren Satz zu Ende.

Ich nickte. »Wir nennen ihn übrigens Futsch«, fügte ich noch hinzu.

»Alle nennen mich Futsch«, bekräftigte Futsch. »Alle, außer meiner kleinen Schwester. Die nennt mich Fuh, aber nur, weil sie Futsch noch nicht sagen kann.«

»Futsch! Ein toller Name!«, rief Fauna aus. »Wir haben auch versucht, uns ...«

»... einen guten Spitznamen für Farley auszudenken«, sagte Flora.

»Und Futsch klingt super!«, sagte nun wieder Fauna.

»Er kriegt meinen Namen aber nicht«, rief Futsch empört.

»Den hat er doch schon«, erinnerte ich ihn.

»Er hat nur Farley Drexel, aber nicht *Futsch*!« Futsch stellte sich breitbeinig hin, als wäre er durchaus zu einem kleinen Kampf bereit. »Ihr könnt ihn Farley nennen oder Drexel oder vielleicht auch F. D., aber Futsch auf gar keinen Fall!«

Das klang irgendwie vertraut. Ich überlegte gerade, wo ich diese Vorschläge schon einmal gehört hatte, als Futsch mich in die Seite boxte und sagte: »Weißt du noch, Pit, wie Rattengesicht das gesagt hat?«

Ach ja, richtig, sagte ich mir, Rattengesicht. Futschs Lehrerin in der Vorschule in Princeton. Ich musste lachen.

Klein-Farley knurrte.

»Mein Name gehört mir!«, wiederholte Futsch, um auch den letzten Zweifel auszuräumen. »Er gehört ganz allein mir!«

»Einen Namen kann man nicht besitzen!«, behauptete Flora.

»Oh doch!«, widersprach Futsch.

Klein-Farley knurrte erneut. Futsch riss die Augen auf. »Kann er nicht reden?«

»Natürlich kann er reden«, sagte Flora.

»Aber er tut es nicht, weil …«, begann Fauna.

»… weil wir alles für ihn sagen«, beendete Flora den Satz. Eine Unterhaltung mit den Naturschönheiten war so ähnlich, als würde man zwei Leuten gleichzeitig bei einem Videospiel zuschauen. Da konnte einem fast schwindelig werden.

Als Klein-Farley auch noch ein drittes Mal knurrte, sagte Fauna: »Er stellt sich gern vor, er wäre ein Bär.«

»Oder ein Löwe«, fügte Flora hinzu.

»Ist mir egal, ob er ein Bär oder ein Löwe ist«, rief Futsch ungehalten. »Meinen Namen kriegt er jedenfalls nicht!«

Klein-Farley fletschte die Zähne.

»Ich finde, wir sollten ihn Futschilein nennen«, sagte Fauna zu ihrer Schwester.

»Oder Klein-Futschi«, schlug Flora vor.

»Oh, das gefällt mir gut«, sagte Fauna. Sie legte einen Arm um ihren kleinen Bruder.

»Warum nennt ihr ihn nicht einfach *Mini*?«, sagte ich.

»Minnie?«, rief Flora erstaunt aus.

»Wie Minnie Mouse?«, fragte Fauna.

»Aber nein«, erklärte ich. »Wie in *Mini-Futsch*.« Um ihnen endgültig auf die Sprünge zu helfen, buchstabierte ich den Namen für sie: »M-I-N-I.«

»Mini-Farley«, rief Futsch. »Denn es gibt nur einen einzigen Futsch und das bin ich!«

Mini-Farley ließ sich auf alle viere nieder, knurrte Futsch an und ging dann zum Angriff über. In null Komma nichts hatte er Futschs Hosenbein im Mund. Futsch versuchte, ihn abzuschütteln, doch Mini ließ nicht locker und zog und zerrte so lange, bis Futsch das Gleichgewicht verlor und auf den Boden plumpste. Dabei stieß er einen markerschütternden Schrei aus. Das verschaffte Futsch natürlich nicht nur die Aufmerksamkeit unserer zwei Elternpaare, sondern auch die aller anderen Anwesenden im Souvenirladen.

»Lass das, Farley!«, rief Flora, während Fauna ihn mit beiden Händen von Futschs Bein zu lösen versuchte.

Papa kam herbeigerannt, kniete sich neben den noch auf dem Boden liegenden Futsch und untersuchte sein Bein.

»Papa!«, rief Futsch wütend. »Sag ihnen, dass sie meinen Namen nicht stehlen dürfen!«

»Niemand stiehlt dir deinen Namen«, sagte Papa und versuchte, Futsch zu beruhigen.

»Versprochen?«, fragte Futsch und wischte sich mit dem Ärmel über die Nase.

»Eigentlich wollten wir ihn nur ausleihen«, sagte Fauna.

»Das ist unfair!«, brüllte Futsch. »Wenn man etwas ausleihen will, muss man zuerst fragen, stimmt's, Papa?«

»Ja, das tut man üblicherweise«, gab Papa ihm Recht.

»Dann sagen wir einfach, dass wir ...«, begann Flora und blickte Hilfe suchend zu ihrer Schwester.

»... deinen Namen nur kopieren«, sagte Fauna.

»Kopieren?«, wiederholte Futsch verständnislos.

»Ja«, sagte Flora. »Kopieren ist die höchste Form von Schmeichelei.«

»Wenn ihr meinen Namen kopieren wollt, müsst ihr mir zwei Millionen Dollar bezahlen«, erklärte ihnen Futsch.

Die Naturschönheiten lachten. »Dein Bruder ist ja echt ein komischer Vogel«, sagte Fauna zu mir.

»Weißt du denn nicht, dass die besten Dinge im Leben frei sind?«, sagte Flora Futsch.

Und wie auf ein Stichwort hin steckten die Naturschönheiten ihre Köpfe zusammen und summten einen Ton. Und noch ehe ich begriffen hatte, was als Nächstes geschah, begannen sie mitten im Souvenirladen zu singen.

»Der Mond gehört uns allen,
die besten Dinge im Leben sind frei.
Die Sterne gehören uns allen,
sie schimmern, damit wir uns erfreu'n …«

Erschrocken wich ich zurück und hoffte, in der Menschentraube untertauchen zu können, die sich um uns herum gebildet hatte. Das war ja noch peinlicher als Futschs Tobsuchtsanfall neulich im Schuhgeschäft.

Wären wir doch nie nach Washington gefahren. Ich hätte mit Großmutter in New York bleiben sollen. Oder bei Jimmy Fargo. Alles, nur nicht das hier. Egal was …

Meine Rettung war der Ladenbesitzer, der herbeieilte und vorschlug, die Show eventuell woanders fortzusetzen, falls wir unsere Einkäufe getätigt hätten. Richtig! Herzlichen Dank, der Herr. Vielen Dank, dass Sie mich gerettet haben.

DER PANDA-KAKA-KLUB

»Eine Runde Vanilleeis mit heißer Schokoladensauce für alle«, bellte Onkel Howie den Kellner in der Cafeteria an. Dann fügte er noch hinzu: »Am besten für alle eine große Portion.«

Ich hätte wissen müssen, dass mich der Besitzer des Souvenirladens in der Staatlichen Druckerei nicht wirklich retten konnte. Ich hätte wissen müssen, dass Papa und sein Cousin Howie das Versäumte nachholen und endlos über die alten Zeiten reden würden. Allerdings war Onkel Howie nicht sehr begeistert, als Mama und Papa übereinstimmend sagten, ihnen wäre fettarmes Joghurteis lieber als Vanilleeis. Man konnte ihm seine Enttäuschung förmlich ansehen. Er bat den Kellner, vorsichtshalber doch noch zwei weitere Becher Vanilleeis mit heißer Schokoladensauce zu bringen. »Zum Gedenken an Onkel Farley Drexel«, sagte Onkel Howie zu Papa. »Weißt du noch, Pummel, wie sehr er heiße Schokoladensauce liebte?«

»Nein«, knurrte Papa.

»Dann ist dein Gedächtnis aber auch nicht mehr das, was es

mal war«, erklärte Onkel Howie mit seiner donnernden Stimme. »Onkel Farley hat sich jeden Tag seines Lebens einen Becher Vanilleeis mit heißer Schokoladensauce gegönnt. Ich könnte wetten, dass ihr euren Sohn nur deshalb Futsch nennt, weil Onkel Farley immer gesagt hat, dass die Schokosauce auf seinem Eis immer viel zu schnell *futsch* sei.«

»Aber nein«, widersprach Papa.

Eudora lachte. »Nun, Pummel ..., auf jeden Fall ist es unglaublich schön, dich und deine Familie getroffen zu haben. Howie hat mir so viele Geschichten von früher erzählt. Was für dicke Freunde ihr als Kinder wart und dass ihr schon damals beide Wald-Ranger werden wolltet.«

Ranger?, dachte ich verblüfft. Das ist mir neu. Ich versuchte, mir Papa als Ranger vorzustellen, doch es gelang mir nicht. Wenn es so etwas wie einen typischen Stadtmenschen gibt, dann ihn!

»Howie ist Park-Ranger«, erklärte Eudora. »Er hat schon in allen Nationalparks von Hawaii gearbeitet. Am zweiten Januar fängt er mit seinem neuen Job im Everglades-Nationalpark an. Bis dahin reisen wir durch die Staaten.«

»Die Everglades«, sagte Papa. »Das klingt ja aufregend, Howie.«

»Ist es auch«, pflichtete sein Cousin Howie ihm bei. »Und was ist mit dir, Pummel? Was machst du so?«

»*Warren* ist in der Werbebranche«, antwortete Mama. »Und wir wohnen in New York City.«

»Werbebranche?« Onkel Howies Gesicht verfinsterte sich. »In der *Werbung*?«

»Richtig«, bestätigte Papa und ich war froh, dass ein gewisser Stolz in seiner Stimme mitschwang.

»Aber wie ist das möglich, Pummel?«, fragte Howie bestürzt. »Willst du damit etwa sagen, dass du unseren Schwur gebrochen hast?«

»Howie ...«, begann Papa verlegen »Wir waren noch Kinder. Wenn aus Jungen Männer werden, kann es schon mal vorkommen, dass sie ihre Meinung ändern.«

»Oh, das enttäuscht mich aber sehr«, sagte Onkel Howie. »Ich hätte nie gedacht, dass du dich verkaufst.«

»Was hast du verkauft, Papa?«, fragte Futsch voller Eifer. »Und wie viel hast du dafür gekriegt?«

»Ich habe mich nicht verkauft, Howie«, antwortete Papa, der Futschs Frage geflissentlich überhört hatte. »Es geht darum, dass ich erwachsen wurde und andere Interessen entwickelt habe.«

Auf, gib's ihm, Papa!, dachte ich mir im Stillen. Und auf einmal schoss mir ein Bild durch den Kopf, von Jimmy und mir, wenn wir uns in zwanzig Jahren wieder treffen würden. Jimmys Frau wird mich vielleicht daran erinnern, dass wir uns geschworen hatten, professionelle Socken-Hockey-Spieler zu werden. Und dann wäre ich – ich weiß nicht – vielleicht Webdesigner oder Filmregisseur und Jimmy, der Star der Vermont Blue Socks, dem Nationalteam der Socken-Hockey-Champions, würde sich fürchterlich aufregen und mir vorwerfen, ich hätte mich verkauft.

»Das ist ja jammerschaaaaade, Pummel«, sagte Onkel Howie bedauernd. »Die Werbung trägt nicht dazu bei, aus der Welt einen besseren Ort zu machen.«

»Stimmt nicht!«, piepste Futsch. »Ich habe aus Werbespots schon eine Menge gelernt.«

Ja, eine Menge Mist, dachte ich mir.

»Werbespots?«, fragte Onkel Howie. »Du schreibst Werbespots?«

Futsch leckte seinen Löffel ab und erklärte: »Mein Papa hat sich den Juicy-O-Werbespot ausgedacht und den für das Dreirad Toddle-Bike und auch den für X-Plode-Müsli.«

Die Naturschönheiten blickten Futsch verständnislos an.

»Ihr wisst schon ...«, erklärte ihnen Futsch, »die aus dem Fernsehen.«

»Wir haben keinen Fernseher«, erwiderte Fauna.

»Pit!«, rief Futsch aufgeregt. »Hast du das gehört? Sie haben keinen Fernseher!«

»Und trotzdem verpassen wir nichts«, warf Onkel Howie ein.

Papa schwieg. Er versuchte, diplomatisch zu sein, das sah ich ihm an. Aber Futsch war wie eine Dampflokomotive in voller Fahrt, die nicht so schnell zu bremsen war. »Und letztes Jahr hat mein Papa ein Buch geschrieben«, verkündete er stolz.

Onkel Howies Augenbrauen sanken vor Erleichterung wieder ein Stück tiefer. »Ein Buch! Nun, das klingt schon wesentlich besser«, sagte er. »Nicht wahr, Mädels?«

»Ja, Papa«, säuselten die Naturschönheiten im Chor. »Das klingt schon besser.«

»Was für eine Art von Buch, Pummel?«, wollte Howie wissen.

Aber meint ihr, Papa hätte eine Chance gehabt zu antworten? Nein! Spatzenhirn konnte einfach nicht die Klappe halten. »Dicker als meine Kinderbücher«, erklärte Futsch. »Aber dünner als ein Wörterbuch. Stimmt's, Papa?«

Papa rang sich ein Lächeln ab. Er und Mama tauschten einen kurzen Blick aus. Dann antwortete Papa: »Ehrlich gesagt, Howie, ich habe die Entwicklung der Werbebranche untersucht.«

Howies Miene bewölkte sich erneut. Wenn er die Stirn runzelte, krochen seine Augenbrauen eng zusammen wie lebende Tierchen. »Geschichte ist die eine Sache, Pummel ..., aber die Geschichte der Werbung ist eine ... eine ...«

Eudora legte dem empörten Howie eine Hand auf die Schulter. »Aber, aber, Howie ..., vergiss nicht, es bedarf der unterschiedlichsten Dinge, um die Welt in Gang zu halten.«

Wie auf Kommando sprangen die Naturschönheiten auf, steckten die Köpfe zusammen und summten einen bestimmten Ton.

Oh nein!, dachte ich voller Entsetzen. Gleich geht's wieder los. Schnell, ich muss hier weg!

Diesmal trällerten sie ein Lied, in dem es darum ging, dass Liebe dafür sorgte, dass die Welt sich drehte. Und diesmal sangen sie nicht nur – oh nein! Sie tanzten sogar! Durch das ganze Café. Zum Glück waren nur drei weitere Tische belegt.

Futsch beugte sich zu mir und flüsterte: »Ist das eine Show, Pit?«

Ja ..., eine Horror-Show, dachte ich mir im Stillen. Doch statt auf die Frage meines kleinen Bruders zu antworten, stöhnte ich nur und vergrub mein Gesicht in den Händen. Was für ein Glück, dass wir nicht in New York waren, wo mich vielleicht jemand gekannt hätte, jemand aus meiner Schule, der später zu mir sagen könnte: *Hab dich neulich mit diesen schrägen Zwillingen zusammen gesehen. Hoffe nur, dass du nicht mit denen verwandt bist.*

Während der Gesangs- und Tanzeinlage tauchte Mini sein Gesicht in seinen Eisbecher und schleckte ihn gründlich aus. Onkel Howie und Tante Eudora waren so in den Anblick ihrer Zwillingstöchter vertieft, dass sie es nicht bemerkten. Sie bemerkten auch nicht, dass Mini sich einen der zusätzlichen Eisbecher schnappte und auch diesen ausschleckte. Irgendwie erinnerte er mich an Turtle. Mein Hund tut genau dasselbe, wenn man ihm einen Teller mit Rühreiresten vor die Nase stellt.

Als die Naturschönheiten ihren Auftritt beendet hatten, applaudierten alle Anwesenden im Café, sogar der Kellner. Tante Eudora strahlte. »Seit sie sechs sind, stehen sie auf der Bühne«, teilte sie uns mit. »Sie sind auf ganz Hawaii bekannt als die *Himmlischen Hatcher-Girls*.«

Himmel, das Ganze war ja noch peinlicher, als ich befürchtet hatte!

Als der Kellner die Rechnung brachte, griff Papa sofort danach. »Das geht auf mich«, sagte er.

Onkel Howie ließ ihn gewähren. Ebenso Tante Eudora, die entzückt sagte: »Vielen Dank, Pummel. War sehr lecker, das Eis. Der heutige Tag wird uns stets in Erinnerung bleiben.«

Ich dachte mir: Oh ja, uns garantiert auch! Dann schob ich

meinen Stuhl zurück und stand auf. »Also, Papa, wir sollten dann besser los.« Ich tippte auf meine Uhr. »Du weißt schon …, das Museum für Luft- und Raumfahrt.«

»Museum für Luft- und Raumfahrt?«, rief Futsch. »Gibt es da auch einen Souvenirladen?«

An diesem Abend rief Mama vom Hotel aus Großmutter an, um zu fragen, wie sie mit Tutzi zurechtkam. Kaum hatte sie den Hörer wieder aufgelegt, als es auch schon klingelte. Es war Onkel Howie. Als Papa wieder auflegte, sagte er: »Tja, Jungs …, mein Cousin Howie hat euch für morgen früh zu einer *VIP*-Tour durch den Zoologischen Garten eingeladen.«

»Ein Zoo?«, fragte Futsch, der gerade mit einem Flieger spielte, den er im Museum für Luft- und Raumfahrt bekommen hatte.

»Ja«, bestätigte Papa. »Und weißt du, was es da zu sehen gibt?«

»Tiger?«, mutmaßte Futsch, während er seinen Flieger startklar machte.

»Bestimmt«, sagte Papa.

»Auch Elefanten?«, fragte Futsch und zog das Gummiband am Flieger nach hinten.

»Vermutlich ja«, sagte Papa. »Und stell dir vor, sie haben auch Pandas!«

»Pandas …, wie in dem Film im Imax?« Futsch ließ seinen Flieger los, der nun quer durch das Hotelzimmer direkt auf mich zugesaust kam. Geistesgegenwärtig riss ich mein neues Buch hoch – *Geschichte der Luftfahrt* –, um mein Gesicht zu schützen. Der Flieger prallte daran ab und ging zu Boden.

»Mensch, Pit! Guck, was du mit meinem Flugzeug gemacht hast!«, rief Futsch vorwurfsvoll.

»Hey, überleg mal lieber, was dein Flieger aus meinem Gesicht gemacht hätte!«

»Okay, Jungs ...«, sagte Mama. »Wie wär's, wenn wir allmählich ins Bett gingen? Papa und ich sind fix und fertig.«

Ich schlief sofort ein und träumte, dass die Frau in dem roten Kostüm, die Futsch mit Bananenbrei bekleckert hatte, meine Mathelehrerin war. Ich sollte ihr vorführen, wie man eine bestimmte Rechenaufgabe löst. Ich versuchte es verzweifelt, schaffte es aber nicht. Dann saß ich in einem kleinen Flugzeug. Es war so dunkel, dass ich das Gesicht des Piloten nicht sehen konnte. Ich hatte keine Ahnung, wer er war, bis er sagte: »So, Pit ...« Voller Panik sprang ich aus dem Flieger, obwohl ich keinen Fallschirm hatte. Beim Fallen kam ich an den Naturschönheiten vorbei, die gemächlich zu Boden schwebten. »Fang ihn auf!«, rief Flora. »Weshalb?«, fragte Fauna zurück. Genau in diesem Augenblick wachte ich auf. Das Herz klopfte mir bis zum Hals. Ich warf einen Blick auf meine Armbanduhr. Es war erst zwanzig Minuten her, seit Mama das Licht ausgemacht hatte.

Um acht Uhr am nächsten Morgen lieferte Papa Futsch und mich bei seinem Cousin Howie am Eingangstor des Zoologischen Gartens ab. Howie trug seine Park-Ranger-Uniform und saß auf dem Fahrersitz eines offiziellen Elektrowagens des

Zoos. »Siehst du, Pummel«, sagte er voller Stolz. »Wenn du Ranger wärst, hättest du auch solche Privilegien.« Neben ihm saß Eudora mit Mini auf dem Schoß. Die Naturschönheiten saßen hinten.

»Hüpft an Bord, Jungs!«, rief Howie. »Tut mir Leid, dass wir euch beide nicht auch noch mitnehmen können, Pummel. Aber wir sind schon voll besetzt.«

Papa sah nicht so aus, als wäre er sehr traurig, dass er und Mama nicht mitkommen konnten. »Pass gut auf Futsch auf, Peter!«, rief er mir noch zu, ehe er eilenden Schrittes von dannen stürmte. Am liebsten wäre ich hinter ihm hergerannt. Mit ihm und Mama in ein Museum zu gehen, war sicher um einiges spannender als das hier. Doch Onkel Howie ließ mir gar keine Zeit, näher darüber nachzudenken. »Festhalten, Leute!«, brüllte er und hätte um ein Haar eine Gruppe von joggenden Frühaufstehern niedergemäht. Futsch klammerte sich an meinen Arm, als wir über die geteerten Wege durch den Tierpark sausten. In einer scharfen Kurve wäre der Wagen fast umgekippt. Mini lachte wie wahnsinnig. Die Naturschönheiten kreischten und die neben mir – ich glaube, es war Flora – krallte sich meinen Arm und bohrte mir ihre Fingernägel ins Fleisch. Nach der nächsten Kurve saß sie mir praktisch auf dem Schoß. »Papa, bitte fahr langsamer!«, rief sie nach vorn.

Doch Onkel Howie brüllte nur »Yippiiiie!«, legte sich begeistert in die nächste Kurve und raste wie ein Wahnsinniger weiter.

»Yippiiiie!«, brüllte Mini mit ihm zusammen.

Zum Glück schrie Eudora schließlich: »Howie, denk doch bitte daran, was für ein Beispiel du für unsere Kinder abgibst!«

Onkel Howie trat auf die Bremse. Wir anderen fielen nach vorn. »Hab mich für 'ne Minute vergessen«, sagte Howie. »Und was tun wir, wenn wir uns für einen Moment vergessen?«

»Wir halten inne und zählen langsam bis zehn«, antworteten die Naturschönheiten hörbar erleichtert.

»Und wenn das nicht reicht?«, fragte ihr Vater weiter.

»Dann zählen wir noch mal bis zehn«, sagten die Mädchen.

»Und genau das mache ich jetzt«, sagte Onkel Howie. »Am besten, wir zählen alle zusammen.« Er holte Luft und begann zu zählen. Die Naturschönheiten zählten brav mit. »Ich höre nicht *alle*«, sagte Onkel Howie, drehte den Kopf und funkelte Futsch und mich an. Prompt fielen wir in ihren Chor ein. Bei zehn angelangt, strampelte Mini mit den Beinen und brüllte begeistert noch einmal: »Yippiiiie!«

»Gut, sehr gut«, meinte Onkel Howie zufrieden.

Als wir uns später wieder mit Mama und Papa trafen, sagte Futsch als Erstes: »Schaut mal, was Tante Eudora mir im Panda-Souvenirladen gekauft hat!« Er hielt einen winzigen Panda aus Plüsch hoch. Ich hatte denselben für Tutzi gekauft.

»Wie reizend von Eudora, euch ein Souvenir zu schenken«, sagte Mama.

»Aber ich wollte eigentlich ein anderes«, sagte Futsch und zog einen Flunsch.

»Das hätte auch 475 Dollar gekostet«, knurrte ich. »Ein Panda in Lebensgröße.«

»Futsch ist echt zum Piepen«, sagte Flora.

»Ein Kind wie ihn haben wir noch nie getroffen«, sagte Fauna.

Kunststück, dachte ich mir. Ein Kind wie Futsch gibt es auch nur einmal.

»Aber schaut euch das mal an!«, rief Futsch strahlend und wedelte mit einem Zettel vor Mamas Gesicht herum. »Ich bin jetzt Mitglied im Panda-Kaka-Klub.«

»Panda-Kaka-Klub?«, wiederholte Mama verdutzt.

»Ja«, erklärte Futsch nickend und sichtlich stolz. »Ich bin der Einzige, der an der Kaka gerochen und sich getraut hat, sie in der Hand zu halten.«

»Sie lag auf einer Papierserviette«, stellte ich seine Aussage richtig.

»Aber trotzdem, Pit …«

Es stimmte, dass er der Einzige von uns war, der sie gehalten hat. Gerochen haben wir alle daran. Doch da hatten wir noch nicht gewusst, was es war. Wir dachten, es sei eine geschälte Süßkartoffel. Es hatte nämlich die Farbe einer Süßkartoffel. Und auch dieselbe Form. Woher hätten wir da wissen sollen, dass es Kacke war? Für mich roch es wie Gras. Doch da hatte ich noch nicht gewusst, dass Gras und Bambus sehr ähnlich riechen.

Jane, die Panda-Betreuerin, hatte Futschs offizielles Zertifikat unterzeichnet. »Sobald ich genug Geld habe, kaufe ich mir auch einen Panda«, hatte er ihr erklärt.

»Und wo soll er dann wohnen?«, hatte Jane gefragt.

»Na, in meiner Wohnung. Ich werde später eine sehr große

Wohnung haben, mit einem extra Panda-Zimmer. Und bei schönem Wetter gehe ich mit ihm im Central Park spazieren. Mama muss ihm Süßkartoffeln kochen und dann habe ich noch ein anderes Zimmer mit Bambus. Und dann nehme ich sein Kaka mit in die Schule und lasse alle Kinder daran riechen, besonders Richie Potter.«

Natürlich war Futsch nicht davon abzuhalten, Mama und Papa haarklein alles zu erzählen, was er über Pandas gelernt hatte. »Obwohl sie so lieb und kuschelig aussehen, sind sie in Wirklichkeit ganz wilde Tiere. Sie haben Krallen und *gaaaanz* scharfe Zähne. Und wisst ihr, warum Pandas so einen großen, dicken Kopf haben? Weil sie ihr Leben lang kauen müssen. Ihre Kiefer sind so kräftig, dass sie damit sogar Bambusrohr kauen können. Und sie benutzen ihre Vorderfüße als Hände, genau wie die Waschbären.«

»Hört sich ganz so an, als hättest du heute Morgen eine Menge gelernt«, sagte Papa.

»Oh ja! Jane hat gesagt, ich sei ein toller Zuhörer. Und wisst ihr, was noch? Wir haben die Pandas mit Karotten gefüttert. Nur Mini nicht. Er hat seine Karotte selbst aufgegessen.«

Onkel Howie bot an, uns mit seinem Van zum Bahnhof zu fahren. Unterwegs kamen wir am Weißen Haus vorbei. Wenn Papa Präsident wäre oder Mama Präsidentin, dachte ich mir, würden wir dort leben. Ich würde Jimmy einladen, seine Ferien bei uns zu verbringen. Dann könnten wir Bowling spielen, schwimmen oder auf Socken durch die sicher endlos langen Korridore rutschen. Oder uns im Vorführraum tolle Filme anschauen. Und unser Koch würde uns Popcorn machen. Ich würde nur ein Interview pro Woche geben, vielleicht auch mal zwei, aber natürlich nur für coole Sender wie MTV oder KiKa. Und ich würde eine Meinung zu allem haben, besonders zu Büchern, Videospielen, Musik, dem Internet und Filmen. *Wenn Peter Hatcher spricht, ist die Jugend Amerikas ganz Ohr!* Das würde das amerikanische Volk über mich sagen.

Ich schwelgte in meinen Fantasien, bis Futsch sich zu mir beugte und flüsterte: »Was meinst du, was der Präsident gesagt hat?«

»Wozu?«

»Na, zu der Banane auf dem Kostüm von der Frau.«

»Das ist ihm wahrscheinlich gar nicht aufgefallen. Und falls doch, war er sicher zu höflich, um sie darauf anzusprechen.«

»Weißt du was, Pit?«, sagte Futsch und blickte durch das Wagenfenster. »Eines Tages wird das mir gehören.«

»Was wird dir gehören?«

»Na, dieser Ort hier«, antwortete er, während wir am Lincoln Memorial und dem Washington Monument vorbeifuhren. »Und dann heißt es Futschington.«

»Jetzt halt aber mal die Luft an!«, sagte ich und schüttelte den Kopf.

»Nein, ich halte nie die Luft an, Peter. Nur wenn ich unter Wasser bin.«

Als wir am Bahnhof ankamen, fragte Papa seinen Cousin Howie, wie seine weiteren Pläne aussähen.

»Neuengland, Pummel«, erklärte Howie, während er sich in eine Parklücke quetschte.

Mir fiel auf, dass Papa es aufgegeben hatte, ihn auf seinen richtigen Namen hinzuweisen.

»Und in ein paar Wochen«, fuhr Onkel Howie fort, während wir unser Gepäck aus dem Van holten, »zeige ich unseren Sprösslingen die Schönheiten eurer Stadt.«

Mir fiel der Koffer aus der Hand. Unserer Stadt?

»Das einzige Problem ist«, fuhr Onkel Howie fort, »dass wir noch keine Unterkunft finden konnten.«

»Na, da könnte ich euch sicher behilflich sein«, meinte Papa.

»Oh, danke, Pummel! Wir würden die Tage in New York zu gern bei dir und deiner Familie verbringen.«

»Ich meinte«, sagte Papa hastig, »dass ich euch sicher dabei behilflich sein könnte, ein Hotel zu finden.«

»Ein Hotel?«, fragte Howie. »Warum um alles in der Welt sollten wir lieber in einem Hotel wohnen als bei euch?«

»Wir haben eine recht kleine Wohnung«, sagte Mama hastig. »Die Jungen teilen sich ein Zimmer und Tutzis Kinderbett steht in einem umgebauten Wandschrank.«

»Oh, kein Problem für uns«, sagte Howie strahlend. »Wir haben unsere Campingausrüstung hier im Wagen. Wir reisen nie ohne. Die Honolulu-Hatchers sind stets für alle Eventualitäten des Lebens gerüstet.«

»Ja, aber, ihr müsst verstehen ...«, begann Mama.

Beschwichtigend legte Eudora ihre Hand auf Mamas Arm. »Wir sind doch *eine* Familie, Anne. Du wirst staunen, wenn du erst siehst, wie wenig Platz wir brauchen. Wir sind es praktisch gewöhnt, uns unsichtbar zu machen, nicht wahr?«

Mini-Farley knurrte.

»Er will euch nur zeigen, wie gut er sich im Wald seiner Umgebung anpassen kann«, sagte Eudora.

New York ist nicht direkt ein Waldgebiet, dachte ich mir im Stillen.

»Mit der Sonne aus den Federn, mit dem Monde schlafen gehen – so lautet unser Motto«, erklärte Onkel Howie. »Ihr werdet unsere Anwesenheit kaum bemerken.«

Mama hatte ein etwas schiefes Lächeln im Gesicht, als sie Papa anschaute.

Sagt einfach nein!, bettelte ich lautlos.

»Nun, Howie …«, sagte Papa, »ihr seid natürlich herzlich willkommen bei uns. Gebt uns nur kurz vorher Bescheid!«

»Damit wir vorgewarnt sind«, sagte ich. Damit ich mich für diese Zeit bei Jimmy einquartieren kann.

»Peter meint natürlich, gebt uns rechtzeitig Bescheid, damit er sein Zimmer aufräumen kann«, sagte Papa. »Nicht wahr, mein Sohn? Das hast du doch gemeint.« Er blickte mich mit hochgezogenen Augenbrauen an und ich begriff sofort.

»Klar«, sagte ich. »Genau das habe ich gemeint.«

VOGELSTREIK

Als wir nach Hause kamen, erzählte Großmutter uns, dass Onkel Feder während wir weg waren keinen Mucks von sich gegeben hatte. »Ist das nicht merkwürdig?«, sagte sie. »Ich mache mir Sorgen. Vielleicht hat er Halsschmerzen.«

»Onkel Feder geht es gut«, versicherte ihr Futsch. »Heute Abend redet er wieder.«

»Woher willst du das wissen?«, fragte ich.

»Ich kenne meinen Vogel, Pit.« Futsch schob einen Stuhl an den Küchenschrank, kletterte darauf, öffnete die Schranktür und holte eine Packung Reiswaffeln heraus.

»Verdirb dir nicht den Appetit«, sagte Großmutter. »Ich habe ein leckeres Abendessen gekocht.«

»Couscous und Hühnchen auf marokkanische Art?« Nicht, dass die Frage nötig gewesen wäre. Die köstlichen Düfte aus dem Backofen ließen einem das Wasser im Munde zusammenlaufen.

Großmutter nickte. »Buzzy kommt auch.«

»Toll«, sagte ich. Großmutter und Buzzy Senior hatten

sich im Sommer während unseres Urlaubs in Maine kennen gelernt. Und wie Mama so schön sagt: *Eins führte zum anderen*. Ende August haben sie geheiratet. Ich mag Buzzy Senior. Es gibt da nur ein Problem, allerdings ein recht großes: Er ist Sheila Tubmans Großvater. Die Vorstellung, dass ich nun so etwas wie Sheilas Schwieger-Dingsbums bin, ist für mich fast unerträglich, denn Sheila und ich sind erklärte Erzfeinde.

»Zusammen mit Sheila«, fügte Großmutter noch hinzu.

Ich stöhnte.

»Peter, bitte …«, sagte Großmutter vorwurfsvoll.

Doch ich ließ sie nicht zu Ende reden. »Ach was, Großmutter …, du wusstest von Sheila und mir, bevor du Buzzy geheiratet hast!«

»Na und? Das bedeutet noch lange nicht, dass ihr zwei nicht einigermaßen zivilisiert miteinander umgehen könnt.«

»Was heißt ›zivilisiert‹?«, wollte Futsch natürlich sofort wissen, während er es sich mit seiner Reiswaffel auf Großmutters Schoß gemütlich machte.

Großmutter strich ihm übers Haar. »Es bedeutet, höflich und nett zu sein«, erklärte sie ihm mit einem tadelnden Blick auf mich.

»Schon gut«, stöhnte ich. »Ich werde mich *zivilisiert* benehmen.«

»Es kann sogar liebenswürdig und respektvoll bedeuten«, setzte Großmutter noch einen drauf.

»Ich bin immer liebenswürdig und respektvoll«, sagte Futsch mit vollem Mund. »Nicht wahr, Großmutter?«

»Oh ja«, versicherte sie ihm. »Du bist der liebenswürdigste, respektvollste Mensch, den man sich vorstellen kann.«

Futsch musste lachen, wobei er natürlich die Hälfte der gut durchgekauten Reiswaffelkörner auf den Boden spuckte. Turtle stürzte sich darauf, als hätte er seit Tagen nichts mehr zu fressen bekommen.

Als Großmutter Futsch erklärte, es sei besser, während des Kauens den Mund zu halten, antwortete Futsch: »Turtle mag gern vorgekautes Essen. Schau …« Und schon spuckte er noch eine Portion gekaute Reiskörner durch die Küche.

»Jetzt reicht's aber, Futsch!«, schimpfte Großmutter. »Iss deine Reiswaffel auf und erzähl mir dann von Washington.«

»Du meinst *Futschington*?«, korrigierte er sie.

Nun hatte ich endgültig die Nase voll und verzog mich demonstrativ in mein Zimmer. Turtle kam hinter mir her durch den Flur getapst. Ich blieb kurz stehen, um einen Blick auf Onkel Feder zu werfen. Ich stellte mich direkt vor seinen Käfig und fragte: »Na, wie geht's?« Er blickte mich an, sagte aber kein Wort. Deshalb sagte ich: »Bonjour, Dummkopf.« Das ist einer seiner Lieblingsausdrücke. Wenn er erst einmal damit anfängt, hört er meist gar nicht mehr auf. Dann wünscht man sich verzweifelt, er hätte einen Knopf zum Abstellen. Doch statt es endlos zu wiederholen, blieb er diesmal stumm und kratzte sich nur mit einem Fuß am Kopf.

»Hast du ein Problem?«, fragte ich ihn. »Haben wir dir gefehlt? Ist es das? Hast du dich einsam gefühlt?«

Onkel Feder schnappte sich seine Rassel und schüttelte sie.

Er liebt Tutzis Babyspielzeug. Doch er schwieg immer noch beharrlich. Ich versuchte es mit einigen anderen seiner Lieblingsausdrücke, den ganz schlimmen – die, die Mama als *absolut unappetitlich* bezeichnet. Turtle richtete sich gespannt auf und wartete. Doch Onkel Feder gähnte nur, als sei er gelangweilt oder müde. Auf jeden Fall schien er mir nichts zu sagen zu haben.

Hmmmm ..., dachte ich besorgt. Wer weiß, vielleicht hat er tatsächlich Halsschmerzen.

Etwa eine halbe Stunde später, als Sheila mit Buzzy Senior ankam, sagte sie als Erstes: »Hat Muriel dir die Sache von deinem Vogel schon erzählt, Futsch?«

»Welche Sache von meinem Vogel?«

»Na, dass er seit deiner Abreise kein Wort mehr gesprochen hat. Ich war gestern kurz hier und heute früh auch, aber er blieb stumm wie ein Fisch.«

»Heute Abend wird er mit mir reden«, sagte Futsch voller Zuversicht.

»Ich würde zu gern wissen, warum du dir dessen so sicher bist«, sagte ich.

»Ich kenne meinen Vogel, Pit!«, sagte er nun schon zum zweiten Mal.

»Hoffentlich hast du Recht«, meinte Sheila. Dann fragte sie: »Und wie war's in Washington?«

»Du meinst *Futschington*?«, fragte Futsch.

Angewidert schüttelte Sheila den Kopf. »Muriel ...«, stöhnte sie. »Du musst etwas tun mit deinem jüngsten Enkel. Er ist davon überzeugt, die Erde drehe sich nur um ihn.«

»Quatsch! Die Erde dreht sich um die Sonne«, erklärte ihr Futsch. »Das weiß ich vom Planetarium.«

Sheila schüttelte wieder den Kopf.

An diesem Abend, als ich schon im Bett lag und noch etwas las, hörte ich Futsch auf Onkel Feder einreden. »Schlaf gut, mein Kind …, und gute Nacht … und gib schön auf Gespenster Acht!«

Und Onkel Feder antwortete tatsächlich: *»Schlaf gut, mein Kind, und gute Nacht … acht … acht … acht …«*

Ich ging in Futschs Zimmerhälfte, um Onkel Feder noch einmal in Augenschein zu nehmen, doch Futsch hatte den Käfig schon abgedeckt. »Psst, Pit, leise«, sagte Futsch. »Er schläft.« Mein kleiner Bruder lag im Bett und kuschelte sich an seine Tüte mit den Geldscheinschnipseln.

Am nächsten Tag war es genau dasselbe. Onkel Feder wollte mit keinem von uns reden. Doch Futsch sagte immer nur: »Keine Angst. Heute Abend spricht er schon.«

Und genau wie Futsch versprochen hatte, hörte ich ihn am Abend wieder mit seinem Vogel reden. »Alle machen sich Sorgen um dich, Onkel Feder. Aber es geht dir doch gut, nicht wahr? Du bist ein gesunder, fröhlicher Vogel, stimmt's?«

»Fröhlicher Vogel, stimmt's.«

Futsch lachte.

Als Onkel Feder sich auch am darauf folgenden Tag noch immer weigerte, mit Mama, Papa oder mir zu reden, fragte ich Futsch: »Wieso redet er eigentlich nur noch mit *dir*?«

»Weil ich sein Liebling bin.«

»Okay, das mag ja stimmen. Aber es erklärt noch lange nicht, warum er nur abends redet.«

»*Wer kann es erklären, wer schon kennt den Gruuund?*«, trällerte Futsch. Das ist eine Zeile aus einem Lied, das Buzzy Großmutter manchmal vorsingt.

»Versuch's trotzdem«, beharrte ich.

»Was?«

»Versuch mir zu erklären, warum Onkel Feder nur am Abend spricht.«

»Kann ich nicht, Pit.«

»Wie lange ist das schon so, dass er nur abends spricht?«

»Seit ..., seit ...«

Ich merkte genau, dass er darüber nicht sprechen wollte, doch ich ließ nicht locker. »Ich höre«, sagte ich.

»Das weiß ich, Pit.«

»Also?«

»Seit ..., seit Richie Potter mal zum Spielen hier war.«

»Was hat das mit Richie Potter zu tun?«

Futsch zuckte mit den Schultern.

»Das ist aber eine sehr merkwürdige Geschichte, Futsch.«

»Tja, merkwürdige Geschichten passieren eben, Pit.«

Ich schüttelte den Kopf. Ich glaubte ihm kein Wort. Keine Silbe. Dafür kannte ich ihn zu gut. Mein kleiner Bruder verheimlichte mir etwas. Deshalb versteckte ich mich an diesem Abend hinter seiner Zimmertür. Aus Angst vor Gespenstern macht er sie nie ganz zu. In jeder Steckdose seines Zimmers steckt ein Nachtlicht. Und bevor er zu Bett geht, versprüht er im ganzen Raum Monsterspray – eigentlich nichts außer Duftwasser in einer Flasche mit einem ausgefallenen Etikett. Doch da er felsenfest daran glaubt, habe ich Mama und Papa versprochen, ihm nichts zu verraten.

Als Futsch diesmal säuselte: »Schlaf gut, mein Kind, und gute Nacht«, schlich ich mich in sein Zimmer. Ich sah ihn auf seinem Bett sitzen und eines seiner Bilderbücher anschauen. »Schlaf gut, mein Kind, und gute Nacht«, wiederholte er. »Und nimm dich vor Gespenstern in Acht.«

»Schlaf gut …, mein Kind …, und gute Nacht …«, kam die Antwort. Nur dass sie nicht aus Onkel Feders Schnabel kam, sondern eindeutig aus dem Mund meines Bruders!

»Aha!«, rief ich und ließ mich auf sein Bett fallen. »Hab ich dich erwischt!«

Futsch stieß einen spitzen Schrei aus. Ich glaube, er war wirklich erschrocken. Dann begann er zu plärren.

Papa kam herbeigerannt, dicht gefolgt von Mama. Sie nahm Futsch in ihre Arme. Er klammerte sich an ihren Hals. »Was ist los, Futschi …, erzähle es Mami …, wo tut es dir weh?«

»Ihr wollt wissen, was los ist?«, sagte ich. »Das kann ich euch sagen.«

»Nein, Pit!«, schrie Futsch durch seine Tränen hindurch. »Nein!«

Mama und Papa blickten sich ratlos an. »Was ist nur los?«, sagte Papa.

»Ich verrate euch jetzt, was los ist«, sagte ich und riss die Abdeckung von Onkel Feders Käfig. »Onkel Feder hat seine Stimme verloren und neuerdings redet Futsch für ihn. Ich habe ihn eben dabei ertappt.«

»Was?«, rief Mama verblüfft.

»Dein jüngster Sohn ist ein guter Schauspieler«, sagte ich.

»Wie lange geht das schon so?«, wollte Papa wissen. Halb erwartete ich, Onkel Feder würde selbst antworten: *Das geht nun schon seit Wochen so. Höchste Zeit, dass es endlich mal jemand merkt.*

»Peter ...«, begann Papa.

»Fragt nicht mich!«, wehrte ich hastig ab. »Fragt lieber den Vogelbesitzer.«

»Futsch ...«, sagte Papa.

Futsch vergrub sein Gesicht an Mamas Hals, wobei er sie natürlich ganz schön voll sabberte.

»Wie lange ist es genau her, seit Onkel Feder nicht mehr spricht?«, fragte Papa.

»Seit ..., seit ..., seit ...«, schluchzte Futsch. »Seit Richie Potter zum ersten Mal zum Spielen hier war.« Sein Gesicht war von Rotz- und Tränenspuren gezeichnet.

»Aber das war ja schon vor Wochen«, sagte Mama.

»Ich ..., ich ..., ich hab ihm meine schönste Murmel gegeben ..., die grüne, und ...«

»Du hast Richie Potter deine schönste Murmel gegeben?«, wiederholte Mama. »Das war aber lieb von dir.«

»Nein!«, rief Futsch. »Ich hab sie Onkel Feder gegeben. Ich hab sie in seinen Käfig gelegt und ..., und da hat er sie verschluckt. Und seither spricht er nicht mehr.« Dieses Geständnis löste eine weitere Salve von Schluchzern aus.

»Du hast Onkel Feder mit einer Murmel gefüttert?«, fragte ich ungläubig.

»Ich hab ihn doch nicht damit gefüttert, Pit! Ich hab sie ihm nur zum Spielen gegeben. Woher hätte ich wissen sollen, dass er sie verschluckt und dann nicht mehr redet?«

»Moment mal …«, sagte ich. »Wie könnte Onkel Feder eine Murmel verschlucken? Ich meine, bedenk doch mal, wie klein er ist.«

Wir blickten alle auf Onkel Feder, der stumm zurückstarrte.

»Ich hab sie ihm gegeben, bevor ich in die Schule ging, und als Richie Potter mit mir nach Hause kam, war die Murmel weg und Onkel Feder hat nicht mehr geredet.«

»War das an dem Tag, an dem Richie Potter Broccoli haben wollte?«, fragte Mama.

»Hat Broccoli etwas mit Futschs Murmel zu tun?«, fragte Papa.

»Ich glaube nicht«, antwortete Mama. »Oder, Futsch?«

»Nein!« Futsch brach erneut in Tränen aus.

Die ganze Zeit über hatte Onkel Feder uns vom Käfig aus genau beobachtet. Wenn ihr mich fragt – er hat es richtig genossen, im Mittelpunkt zu stehen.

Am nächsten Tag telefonierte Mama mit unserem Tierarzt, während Futsch aufgeregt um sie herumhüpfte. »Vergiss nicht, ihm das mit der Murmel zu erzählen«, sagte er immer wieder.

Schließlich sagte Mama: »Mein Sohn würde gern wissen, ob sein Vogel die Murmel vielleicht aus Versehen verschluckt haben könnte.«

Der Tierarzt musste nein gesagt haben, denn Mama schüttelte den Kopf und sagte dann: »Hm …, ja, das haben wir uns auch gedacht.« Dann muss der Tierarzt ein paar Fragen gestellt haben, denn Mama sagte: »Sein Appetit ist normal und er trinkt so viel wie sonst auch.« Danach sagte sie: »Er badet sehr gern.« Dann: »Oh ja, so lebhaft wie eh und je. Nur, dass er eben nicht mehr spricht. Kein einziges Wort mehr.« Dann hörte ich ein paar ›*Hm-hms*‹ und drei oder vier ›*Ah ja, ich verstehe*‹ von Mama. Sie griff nach dem Notizblock und kritzelte ein paar Worte. »Ja, gut …, vielen Dank.« Endlich legte sie den Hörer auf.

Noch ehe Mama die Chance gehabt hätte, uns etwas zu erklären, rief Futsch auch schon: »Woher will der Tierarzt wissen, dass Onkel Feder die Murmel nicht verschluckt hat? Und wenn er sie nicht verschluckt hat, wo ist sie dann?«

»Vermutlich bei dem Schuh, den du verloren hast«, sagte ich spöttisch.

»Quatsch, der Schuh ist in der U-Bahn, Pit!«

Als ob ich das nicht gewusst hätte!

An guten Ratschlägen mangelte es nicht. Sheila baute sich vor Onkel Feders Käfig auf und sagte: »Ihr braucht einen Vogel-Therapeuten. Vielleicht hat er ein schlimmes Erlebnis gehabt. Eine Art Trauma. Ich hab neulich ein Buch über ein Mädchen gelesen, das von einem Tag auf den anderen nicht mehr geredet hat, weil ihr etwas Schreckliches zugestoßen war.«

»Echt? Und was war das?«, fragte ich gespannt.

»Das bespreche ich nicht mit einer Person des anderen Geschlechts«, antwortete Sheila schnippisch.

»Aber vielleicht mit mir!«, meinte Futsch, neugierig wie immer. »Ich bin ja noch klein.«

»Nein«, entgegnete Sheila barsch.

»Egal, ihm ist sowieso nichts Schlimmes zugestoßen«, erklärte ich.

»Wieso bist du dir da so sicher, Peter?«, fragte Sheila.

»Weil ich hier wohne, falls ich dich daran erinnern darf.«

»Vielleicht ist es passiert, als du nicht zu Hause warst«, fuhr Sheila unbeirrt fort. »Hier muss man detektivisch vorgehen.«

»Glaub mir, Sheila ..., ich weiß, wovon ich rede.«

»Jemand, der vertrauenswürdig ist, muss nicht ständig ›glaub mir‹ sagen«, entgegnete Sheila. »Stimmt's, Onkel Feder?«

Onkel Feder musste niesen.

Als Richie Potter das nächste Mal zum Spielen kam, versuchte er, Onkel Feder mit Geld zu bestechen. »Fünf Dollar, wenn du meinen Namen sagst.« Er wedelte mit einem Fünfdollarschein vor Onkel Feders Käfig herum. Doch das ließ den Vogel natürlich so kalt wie nur etwas.

»Du willst ihn bestechen?«, sagte ich. »Was, glaubst du, könnte Onkel Feder mit fünf Dollar anfangen?«

»Weiß nicht«, meinte Richie achselzuckend.

»Na, dann denk mal darüber nach.«

»Stimmt, er kann ja gar nicht einkaufen gehen«, musste Richie dann zugeben. Er faltete seinen Geldschein so oft zusammen, bis er praktisch nicht mehr zu sehen war, und steckte ihn in seine Hosentasche zurück.

»Wenn ihr ihn bestechen wollt, versucht's mal mit seiner Leibspeise«, schlug ich vor. »Birnen.« Und schon rannten Futsch und Richie in Richtung Küche.

Doch auch die Birnenstückchen nützten nichts.

Melissa meinte: »Meine Mama sagt, ihr Akupunkteur könne alles heilen.«

»Ihr *was*?«, fragte Futsch.

»Akupunkteur«, wiederholte Melissa. »Das ist so eine Art Arzt. Er steckt Nadeln in dich rein und schon geht es dir besser.«

»Oh nein, in Onkel Feder steckt niemand Nadeln rein!«, wehrte Futsch empört ab.

Buzzy meinte: »Eine liebevolle, aber strenge Hand. Das ist die Lösung. Lass dir von ihm nicht auf der Nase herumtanzen, Futsch. Er muss wissen, wer hier der Boss ist.«

Da musste Großmutter lachen. »Also wirklich, Buzzy. Onkel Feder ist doch kein pubertierender Teenager. Er ist ein Vogel.«

Jimmy sagte: »Meine Eltern haben sich scheiden lassen, weil mein Vater nie mit meiner Mutter geredet hat.«

Es war das erste Mal, dass Jimmy einen Kommentar zur Scheidung seiner Eltern von sich gab.

»Onkel Feder ist nicht verheiratet«, gab ich zu bedenken.

»Vielleicht ist *das* sein Problem«, antwortete Jimmy. »Kann sein, dass er eine Partnerin braucht.«

Ich blickte Jimmy stumm an und wartete, dass er mehr sagte. Doch er zuckte nur mit den Schultern und sagte: »Na ja, wäre doch möglich, oder?«

An diesem Abend studierte ich das *Handbuch über Beos*. Ich erfuhr, dass wenn man zwei Beos hat, sie sich nicht mehr eng an einen Menschen anschließen. Sie bauen eine sehr enge Beziehung zueinander auf. Also konnten wir das mit dem zweiten Vogel vergessen.

Futsch hingegen erzählte jedem, der bereit war, ihm zuzuhören, von Onkel Feder. Im Aufzug erzählte er es Mrs Chen, die aus China gekommen war, um ihre Familie zu besuchen. Mrs Chen spricht genau drei Worte unserer Sprache: *Okay* und *Kein Problem*. Doch sie hörte Futsch zu, als würde sie haargenau begreifen, worum es ging. Dann nickte sie und sagte: »Kein Problem.«

In der Eingangshalle erzählte Futsch es Olivia Osterman. »Ich hatte auch einmal einen Beo«, sagte sie. »Mein Vogel konnte sagen: *Ich hab dich lieb, Livia. Ich hab dich soooo lieb!*«

»Und wo ist dein Vogel jetzt?«, fragte Futsch extra laut, damit Mrs Osterman ihn auch verstehen konnte.

»Oh, er ist schon seit Jahren tot«, antwortete Mrs Osterman. »Vögel werden nicht so alt wie Menschen. Und die meisten Menschen werden nicht so alt wie ich. Bald feiere ich meinen neunzigsten Geburtstag. Wie findest du das?«

»Oh, dann bist du viel, viel älter als ich.«

»Kluges Kind«, sagte Mrs Osterman zu Futsch.

»Stimmt, ich kann toll denken«, antwortete Futsch auf seine bescheidene Art.

»Ich manchmal auch«, sagte sie und schnippte mit den Fingern. »Denn mir fiel gerade etwas zu deinem Vogel ein. Vielleicht ist er schwerhörig geworden – genau wie ich.«

»Aber du redest doch noch«, sagte Futsch.

»Ja, aber ich trage ein Hörgerät. Wenn dein Vogel nicht mehr hört, was du zu ihm sagst, kann er vermutlich nicht mehr antworten.«

Ich war beeindruckt. »Das ist die erste gute Idee bisher. Endlich eine Theorie, die erklären könnte, warum Onkel Feder nicht mehr spricht.«

Nachdem wir Tutzi ins Bett gebracht hatten, versammelten wir uns alle in Futschs Zimmer, um Mrs Ostermans Theorie zu überprüfen. Während wir übrigen alle auf dem Bett saßen, schlich sich Papa auf Zehenspitzen durchs Zimmer und schlug Futschs Zimmertür mit einem lauten Knall zu. Oh, Onkel Feder hörte offenbar sehr gut. Er machte einen Satz auf seiner Stange, flatterte mit den Flügeln und wackelte mit dem Kopf. Er war sichtlich erschrocken.

So viel zu Mrs Ostermans Theorie.

Am nächsten Tag entdeckte ich im Internet eine Website namens beovoegel.com. Ich schrieb eine Mail und fragte, ob jemand vielleicht Erfahrung mit einem Beo hatte, der plötzlich das Sprechen eingestellt hatte. Ich bekam insgesamt fünf Antworten, doch keine klang sonderlich überzeugend.

Henry Bevelheimer, unser Liftboy und Mädchen für alles, kam vorbei, um sich Onkel Feder anzuschauen. Er blieb etwa eine halbe Stunde vor dem Käfig stehen und beobachtete Onkel Feder. »Oh, oh ...«, sagte er dann. »Genau, wie ich dachte. Dein Vogel streikt, Futsch.«

»Streikt?«, fragte Futsch.

»Ja«, antwortete Henry. »Er will ein bestimmtes Ziel erreichen. Jetzt müssen wir nur noch herausfinden, was das sein könnte.«

»Mehr Birnen?«, fragte Futsch.

Mama sagte hastig: »Mehr Birnen würden auch mehr Kaka bedeuten.«

»Oh, oh«, sagte Futsch betroffen. »Mehr Kaka wollen wir natürlich nicht.«

»Was könnte es sonst sein?«, fragte Henry weiter. »Was liebt er sonst noch?«

»Frei herumfliegen«, mutmaßte Futsch. »Am liebsten flattert er frei herum.«

»Tja, wer will das nicht?«, meinte Henry.

»Aber er darf schon zweimal pro Woche herumfliegen«, erklärte ich Henry.

»Das reicht ihm vielleicht nicht«, meinte Henry.

»Ich glaube nicht, dass wir mehr als zwei Freiflüge pro Woche verkraften«, sagte Mama. »Nicht, wenn man bedenkt, was wir jedes Mal durchmachen müssen, wenn er seinen Käfig verlassen darf.«

Was Mama meinte, ist, dass Beos dafür bekannt sind, dass sie einen regen Stuhlgang haben, besonders nach dem Essen. Ehe wir Onkel Feder aus seinem Käfig lassen, müssen wir immer alle Möbelstücke abdecken. Den Boden bedecken wir mit alten Zeitungen. Dann lassen wir die Jalousien herunter und hängen die Spiegel zu, da Vögel von jeglicher Lichtquelle wie magisch angezogen werden.

»Aber Mama ...«, meinte Futsch vorwurfsvoll. »Vielleicht liegt es ja wirklich daran.«

»Vielleicht auch nicht«, sagte sie, bedankte sich bei Henry für sein Kommen und seinen Rat und begleitete ihn zur Wohnungstür.

»Tut mir aufrichtig Leid, Mrs Hatcher«, sagte Henry, als er schon in der Tür stand.

»Schon gut, Henry«, antwortete Mama. »Aber wissen Sie, Futsch wünscht sich so sehnsüchtig, dass sein Vogel wieder spricht, dass er bereit ist, alles zu glauben.«

»Muss ziemlich hart sein für den kleinen Kerl.«

»Ja«, sagte Mama. »Da haben Sie Recht.«

Mama rief einen Tierarzt an, der auf Vögel spezialisiert war. An diesem Abend setzten sich Mama und Papa nach dem Essen mit Futsch ins Wohnzimmer. Mama sagte: »Futsch, wir erklären dir jetzt, wie wir vorgehen werden. Wir werden alle sehr nett und freundlich zu Onkel Feder sein. Aber wir werden ihn nicht bedrängen.«

Papa sagte: »Wir werden seinen Käfig für einige Zeit an eine andere Stelle stellen, um zu sehen, ob das einen Unterschied macht.«

»Er muss aber in meinem Zimmer bleiben«, rief Futsch erschrocken. »Ohne Onkel Feder kann ich nicht schlafen.«

»Wir stellen ihn innerhalb deines Zimmers an eine andere Stelle«, versprach Papa hastig. »Vielleicht etwas näher ans Fenster, damit er mehr sieht.«

»Und dann warten wir einfach ab«, sagte Mama.

»Wie lange?«, wollte Futsch wissen.

»So lange, wie es eben dauert«, antwortete Mama. »Das hat auch der Vogeldoktor gemeint.«

»Und dann fängt er irgendwann wieder an zu reden?«, fragte Futsch gespannt.

»Das können wir nur hoffen. Es gibt keine Garantie«, sagte Mama.

»Wenn wir eine Million Trillionen Dukaten hätten, würden wir sicher einen Tierarzt finden, der ihn heilen kann.«

»Futsch, das ist keine Frage des Geldes«, sagte Papa. »Geld ist kein Allheilmittel.«

»Woher willst du das wissen? Du hast keine Million Trillionen Dukaten.«

»Das ist richtig«, sagte Mama. »So viel Geld haben wir nicht. Aber kein Geld der Welt kann Onkel Feder wieder zum Sprechen bringen. Wir müssen eben geduldig sein und hoffen, dass alles wieder gut wird.«

»Der arme Onkel Feder«, sagte Futsch und zwei dicke Tränen rollten über seine Wangen. »Es ist so traurig.« Dann wandte er sich an mich. »Ist es nicht traurig, Pit?«

»Nun, ich habe nicht den Eindruck, als sei Onkel Feder sehr traurig«, sagte ich und versuchte, möglichst fröhlich zu klingen.

»Das stimmt«, sagte auch Papa. »Er ist noch genauso munter wie früher.«

Futsch schüttelte den Kopf. »Er will nur nicht, dass wir etwas merken, deshalb spielt er uns etwas vor.«

»Was für ein rücksichtsvoller Vogel«, sagte Mama.

Futsch nickte. »Tja, er kommt ganz nach mir«, erklärte er voller Stolz.

BABYFÜSSE (NOCH EINMAL)

Jimmy erinnerte mich daran, dass heute Abend die Ausstellung seines Vaters eröffnet werden sollte. Letzten Sommer war Tutzi barfuß über eine von Frank Fargos Leinwänden getapst und hatte dabei in der feuchten blauen Farbe eine Spur winziger Fußabdrücke hinterlassen. Wir hatten befürchtet, Mr Fargo würde vor Wut ausrasten. Stattdessen hatte er eine grandiose Idee. Er ließ Tutzi barfuß über ungefähr zwei Dutzend feuchter Leinwände gehen. Und nun wurden diese Bilder in einer Kunstgalerie in SoHo ausgestellt.

»Ich mag Ausstellungen«, sagte Futsch, während wir uns für die Fahrt ins Stadtzentrum fertig machten. »Ist das so eine Art Show? Wird da gesungen oder getanzt?«

Papa zog den Reißverschluss von Futschs Anorak zu. »Weder noch«, sagte er bedauernd. »Es gibt nur ein paar Bilder zu sehen.«

»Was? Nur ein paar Bilder?« Futsch war sichtlich enttäuscht. »Hast du das gehört, Pit? Eine Show nur mit Bildern.«

»Ja, ich hab's vernommen.«

In diesem Moment kam Mama ins Wohnzimmer. Sie hatte

Tutzi auf dem Arm, die in ihrem dunkelblauen Samtkleidchen mit weißem Kragen wie ein kleiner Filmstar aussah.

»Wann kommt der Babysitter?«, wollte Futsch wissen.

»Wir brauchen keinen Babysitter«, antwortete Mama und setzte Tutzi auf das Sofa.

»Hä? Ihr wollt Tutzi ganz allein lassen?« Futsch verstand die Welt nicht mehr.

Mama lachte. »Aber nein. Tutzi darf heute mitkommen.« Sie versuchte, Tutzi ein Paar elegante Samtpantöffelchen anzuziehen, doch Tutzi wand sich und strampelte so sehr, dass Mamas Versuche absolut sinnlos waren. Schließlich gab Mama auf und stopfte die Schühchen in die Wickeltasche.

»Ihr nehmt Tutzi mit?« Futsch konnte es noch immer nicht glauben.

»Natürlich nehmen wir Tutzi mit«, sagte Papa. »Und schaut euch unsere Kleine mal an! Sieht sie nicht wie eine kleine Prinzessin aus?«

»Sie ist noch zu klein für eine Ausstellung«, behauptete Futsch. »Sie kriegt doch gar nicht mit, worum es geht.«

»Ohne unsere Tutzi gäbe es diese Show heute gar nicht«, erinnerte ihn Papa.

Tutzi streckte ihre Ärmchen nach mir aus. »Hoch, Pii…« Sie wollte unbedingt, dass ich sie hochnahm. Zum Dank zog sie mich an den Haaren.

»Hey …«, schimpfte ich, woraufhin sie jedoch nur lachte und noch kräftiger zog.

Futsch hängte sich an mich und zog an meiner Jacke. »Ich

will nicht, dass Tutzi mitkommt. Ich will, dass nur du und ich mitgehen, Pit.«

»Ich weiß, wie du dich fühlst«, sagte ich zu Futsch, da ich mich noch zu gut daran erinnern konnte, wie häufig ich mir gewünscht hatte, er würde irgendwohin nicht mitkommen. »Aber du wirst dich damit abfinden müssen.«

Vor der Kunstgalerie in SoHo hing ein Transparent, das Frank Fargos Ausstellung ankündigte. Darauf stand in großen, dicken Buchstaben BABYFÜSSE und darunter, etwas kleiner, FRANK FARGO. Drinnen hingen riesige, farbenprächtige Bilder an den Wänden. Als die Gemälde letzten Sommer auf dem Boden ausgebreitet lagen, war mir gar nicht klar geworden, wie groß sie an einer Wand aussehen würden. Man musste zwar aufmerksam hinschauen, um die Babyfüße im Hintergrund zu sehen, doch dann konnte man sie auf jedem Gemälde erkennen. Die Bilder trugen Namen wie *Babyfüße Heidelbeerblau* oder *Babyfüße Erdbeerrot*. Eines hieß *Babyfüße Sturm* und ein anderes *Babyfüße Erde*.

Futsch blickte sich um. »Wo ist die Bühne?«, fragte er. »Und wo sitzen wir?«

Papa erklärte es ihm. »Es ist keine Show im üblichen Sinne, Futsch. Es ist eher so etwas wie eine Ausstellung in einem Kunstmuseum zu einem besonderen Anlass, verstehst du?«

»Und wo ist der Anlass?«, fragte Futsch weiter.

»Das *ist* der Anlass«, erklärte ihm Papa.

»Das ist unfair!«, kreischte Futsch enttäuscht.

»Hm, Papa …«, sagte ich und hoffte, fliehen zu können, ehe

Futsch seinen Wutanfall bekäme. »Ich geh mal schauen, ob ich Jimmy finde.«

»Nimm mich mit!«, rief Futsch. »Bitte, Pit. Nimm mich mit!«

Ich zögerte kurz, gab dann aber nach und nahm Futschs Hand. Es waren sehr viele Menschen in der Galerie und ich konnte Jimmy nirgends entdecken.

»Du, Pit, ich könnte doch auch über Bilder laufen, oder?«, sagte Futsch auf einmal. »Ich kann das sicher sogar besser als Tutzi. Tutzi geht ja noch nicht mal zur Schule. Und sie macht noch in die Hose.«

»Dafür kann sie gut Tierlaute nachmachen«, gab ich zu bedenken, um ihn abzulenken.

»Na und? Wer interessiert sich schon für ihr blödes *Quack-Quack* … und ihr dummes *Miau-Miau*?«

Einige Gäste hatten sich um Mr Fargo geschart, auf dessen Schultern Tutzi saß. »Das ist sie«, verkündete er. »Der Star meiner Show. Die einmalige, großartige … Tutzi Butzi!«

Tutzi lachte und klammerte sich an Mr Fargos Haaren fest. Sie ist vermutlich sein größter Fan. Doch damit meine ich nicht in Sachen Bilder. Was weiß Tutzi schon von Kunst? Nein, aus Gründen, die uns allen völlig schleierhaft sind, hat Tutzi einen richtigen Narren an Frank Fargo gefressen. Und sie ist auch der einzige Mensch, den ich kenne, der Mr Fargo ein Lächeln entlocken kann. Was sie auch im Moment schaffte, während um sie herum die Blitzlichter etlicher Kameras zuckten. »Sie ist meine Muse, meine Inspiration«, teilte Mr Fargo seinen Zuhörern mit, die begeistert applaudierten.

»Ist Tutzi jetzt berühmt?«, wollte Futsch wissen.

»Na ja, heute Abend schon«, antwortete ich. »Aber daran wird sie sich später nicht mehr erinnern.«

»Ich war auch mal berühmt …, nicht wahr, Pit?«

»Stimmt, du warst etwa eine Woche lang berühmt, als du in Papas Werbespot Dreirad gefahren bist.«

»Das weiß ich noch gut.« Mit feierlichem Gesicht blickte er zu mir hoch. »Und was ist mit dir, Pit? Warst du auch mal berühmt?«

»Nein, bisher noch nicht.«

»Mach dir nichts draus«, sagte Futsch tröstend. »Für mich bist du berühmt.« Er schenkte mir ein breites Lächeln und drückte meine Hand.

»Danke, Futsch.«

Als Papa zu uns stieß, sagte ich: »Wäre es nicht toll, wenn wir eines von Frank Fargos Bildern hätten? Besonders eines, auf dem Tutzis Fußabdrücke sind.«

Futsch riss sich von meiner Hand los und streckte den Arm zu dem Bild *Babyfüße Erdbeerrot* aus. »Wie wäre es mit dem hier?«

Papa packte ihn am Kragen und zog ihn zurück. »Nicht anfassen!«, sagte er.

»Warum nicht?«, fragte Futsch.

»Weil du vielleicht schmutzige Hände hast.«

»Nein, sie sind sauber. Schau …«, antwortete Futsch und hielt seine Hände hoch, damit Papa sie inspizieren konnte.

»Trotzdem«, meinte Papa. »Es ist verboten, ausgestellte Bilder anzufassen, verstanden?«

»Warum ist es verboten?«, bohrte Futsch weiter.

»Das ist eben eine Regel«, sagte Papa.

»Eine blöde Regel«, meinte Futsch verächtlich.

»Das Wort *blöd* ist in unserer Familie verboten«, rief Papa ihm in Erinnerung.

»Nur wenn es um Leute geht«, widersprach Futsch. »Bei Leuten, die blöd sind, sagen wir statt blöd *Spatzenhirn*. Frag doch Pit. Der weiß es.« Voller Eifer zeigte Futsch auf *Babyfüße Sturm*. »Und wie wär's damit? Das würde toll in mein Zimmer passen.«

»Wir können uns keines dieser Bilder leisten«, sagte Papa. »Schau dir mal die Preise an.« Er zeigte auf die kleinen Schilder neben den Bildern.

»Das sind die Preise?«, fragte ich. Auf den Schildern war kein Dollarzeichen, nur eine Zahl gefolgt von drei Nullen, was bedeutete, dass ein Bild sechs-, sieben- oder achttausend Dollar kostete.

»Je mehr Nullen, desto mehr Geld, stimmt's, Pit?«

»Das kannst du laut sagen!«

»Dann ist das also gut, oder?«

»Kommt ganz darauf an, ob man der Verkäufer oder der Käufer ist«, entgegnete ich trocken.

»Was sind wir?«

»Weder das eine noch das andere«, sagte Papa nun wieder. »Wir sind einfach nur Freunde des Künstlers.«

»Keine Nullen für Freunde«, trällerte Futsch vor sich hin.

Papa bat mich, Futsch im Auge zu behalten, weil er einem Bekannten Hallo sagen wollte.

»Ich kann es nicht fassen«, sagte ich, mehr zu mir selbst als zu Futsch.

»Was kannst du nicht fassen, Pit?«

»Dass jemand bereit ist, siebentausend Dollar für dieses Bild zu zahlen.«

»Hey, Pit …«, begann er und in seinen Augen lag dieses gierige Strahlen, das er neuerdings immer hatte, wenn es um Geld ging. Ich wusste, was er gleich sagen würde, noch ehe er weiterredete. Aber er sagte es natürlich trotzdem. »Wir könnten Tutzi daheim noch mal über ein paar Bilder laufen lassen und dann …«

Ich ließ ihn gar nicht erst ausreden. »Ha, du glaubst doch nicht, dass jemand uns siebentausend Dollar für ein Bild zahlen würde!«

»Wieso nicht?«

»Na, weil wir keine Künstler sind wie Mr Fargo.«

»Aber Pit, das begreife ich nicht! Wo ist da der Unterschied?«, rief Futsch kopfschüttelnd.

»Tja, wie soll ich dir das erklären, Futsch?«, sagte ich und zuckte mit den Schultern. »Aber so ist es eben.«

Er packte meinen Arm und schwang ihn auf und ab. »Wir denken das Gleiche, nicht wahr?«

Doch noch ehe ich antworten und zum Beispiel sagen konnte: Nein, wir denken nicht das Gleiche und werden es auch nie tun …, kam jemand von hinten und stieß mir seinen Finger in die Rippen. Ich wirbelte herum.

»Reingefallen!«, sagte Jimmy lachend.

»Wo hast du gesteckt?«, fragte ich. »Ich hab schon überall nach dir gesucht.«

»Oh …, na ja, ist ziemlich viel los hier. Ein gutes Zeichen. Und, was meinst du?« Er trat einen Schritt zurück und studierte die Bilder aus einer gewissen Entfernung. Er blinzelte, legte seine Fäuste zu einem Fernglas zusammen und schielte hindurch. Ich machte es ihm nach und musste zu meiner Überraschung feststellen, dass es tatsächlich so aussah, als würden sich die Farbspiralen auf den Bildern drehen.

»Cool, hm?«, meinte Jimmy.

»Ja, irre.«

»Du denkst doch hoffentlich nicht, du würdest das auch hinkriegen, oder?«

»Quatsch. Wie kommst du auf die Idee?«

»Keine Ahnung. Du hast so komisch dreingeschaut.«

»Wie dreingeschaut?«

»Egal.«

Eine Frau in einem schwarzen Kleid und langen, baumelnden Ohrringen, die aussahen wie zwei kleine Wolkenkratzer, steckte eine rote Stecknadel in das Etikett unter dem Bild *Babyfüße Sturm*. Sie kam mir irgendwie bekannt vor – groß und mager mit einem Lockenkopf und einem auffällig langen Hals.

»Wow!« Jimmy machte mit der rechten Hand das V-Zeichen. »Wieder eines weg.«

»Was ist weg?«, fragte ich.

»Ein Bild. Die rote Stecknadel bedeutet, dass das Bild verkauft worden ist.«

»Echt?«, rief ich aus. »Wahnsinn! Siebentausend Dollar! Sag mal, wie fühlt man sich, wenn man einen reichen, berühmten Vater hat?«

»Reich?«, wiederholte Futsch fasziniert.

Jimmy überhörte Futsch geflissentlich und blickte mich empört an. »Nur zu deiner Information – erstens: Die Galerie kriegt die Hälfte von allem. Zweitens: Seit wann bist du so geldgeil?«

»Ich, *geldgeil*?«, wiederholte ich ärgerlich. »Das soll wohl ein Witz sein. Wenn du jemanden sehen möchtest, der geldgeil ist, dann wirf einen Blick auf meinen kleinen Bruder!«

Unbeeindruckt begann Futsch wieder einmal zu trällern: *»Geld, Geld, Geld ..., ich liebe Geld, Geld, Geld ...«* Dann hatte er genug von Jimmy und mir und hüpfte davon.

Kurz darauf klopfte mir jemand auf die Schulter. »Welche Überraschung ...«, sagte eine Frauenstimme. »Wenn das nicht mein alter Freund Peter Hatcher ist.« Es war die Frau mit den Wolkenkratzer-Ohrringen. Sie hatte eine große Tasche um die Schulter hängen, aus der ein kleiner Hund seinen Kopf streckte. Sobald ich ihre Stimme hörte, wusste ich, wer sie war: Giraffenhals, die Frau, die ich letztes Jahr kennen gelernt hatte, als wir in Princeton wohnten. Sie besaß eine Kunstgalerie, direkt neben dem Kino. In ihrem Schaufenster hatte ich eines von Frank Fargos Bildern entdeckt, das Bild mit dem Titel *Anitas Wut*. Und eines Tages war ich in ihre Galerie gegangen und hatte ihr erzählt, dass ich Frank Fargo persönlich kannte. Doch was hatte sie hier zu suchen? Und warum schleppte sie einen Yorkie in ihrer Tasche mit sich herum? Ich streckte die Hand aus, um das Tierchen zu streicheln, doch es bellte mich wütend an.

»Schon gut, Vinny«, sagte Jimmy und kraulte das Hündchen hinter den Ohren. »Peter ist ein Freund.«

»Du kennst den Hund?«, fragte ich erstaunt.

»Klar kenne ich Vinny«, antwortete Jimmy, als wäre es die natürlichste Sache der Welt. »Er kläfft zwar wie ein Großer, hat aber in Wirklichkeit nur Schiss vor dir.«

»Vor mir?«, fragte ich ungläubig.

»Na ja, weil er dich noch nicht kennt«, sagte Jimmy.

»Aber in Jimmy ist er schon ganz vernarrt«, fuhr Giraffenhals fort und zerzauste Jimmys Haare. »Mein Vinny bellt Jimmy nie an.« Und schon war sie wieder verschwunden. Eine viel beschäftigte Frau.

Jimmy blickte ihr lange nach, dann wandte er sich wieder mir zu. »Was?«, sagte er, als hätte ich ihn etwas gefragt.

»Ich hab nichts gesagt«, meinte ich.

»Aber du wolltest.«

»Ach so, ja ..., jetzt, wo du es sagst. Sag mal, hast du nicht neulich mal was von einem Yorkie erzählt?«

Jimmy nickte.

»Hab ich's mir gedacht!«

Wenige Minuten später sah ich Giraffenhals wieder. Diesmal am anderen Ende des Raums, wo sie mit Frank Fargo zusammenstand. Es sah fast so aus, als würde er ihren Hals beschnuppern. Jimmy merkte, dass ich die beiden beobachtete.

»Sag mal, ist mir da was entgangen ...«, begann ich, »oder sind dein Vater und Giraffenhals tatsächlich ...?«

»Ja, sie sind zusammen«, fiel Jimmy mir hastig ins Wort. »Sie reden sogar schon vom Heiraten.«

»Heiraten?«

»Könntest du das vielleicht auch etwas anders aussprechen?«

»Wie zum Beispiel?«

»Na, dass es sich nicht nach einer Katastrophe oder etwas Ähnlichem anhört.«

»Ich habe nicht gesagt, es sei eine Katastrophe«, erklärte ich ihm. »Ich bin nur etwas überrascht, das ist alles. Ich meine, schließlich dachte ich bisher, ich sei dein bester Freund ... Wieso erfahre ich dann erst jetzt, dass dein Vater und Giraffenhals etwas miteinander haben und sogar schon an Heirat denken?«

»Das Ganze war noch nicht offiziell«, sagte Jimmy entschuldigend. »Und außerdem heißt sie Beverly. Beverly Muldour. Und falls es dich interessiert – sie ist echt cool.«

»Wenn du meinst ...«

»Das einzig Negative ist, dass es bedeutet, dass meine Eltern nun vermutlich nie mehr zusammenkommen werden.«

»Hast du das noch immer gehofft?«

Jimmy gab keine Antwort.

»Ach komm, Jimmy ..., deine Eltern sind doch schon ewig wie Katz und Hund. Sie kamen einfach nicht mehr miteinander aus. Deshalb haben sie sich ja auch scheiden lassen.«

»Erspar mir deine Kommentare«, sagte Jimmy gekränkt. »Von dir ertrage ich sie am wenigsten. Hast du nicht eben behauptet, du seist mein bester Freund?«

»Okay, tut mir Leid.«

»Und dass sie geschieden sind, bedeutet noch lange nicht,

dass es mir recht ist, wenn einer von beiden jemand anderes heiratet.«

»Aber du hast doch gesagt, Giraffenhals sei cool.«

»Stimmt, aber was weiß sie schon davon, wie man sich als Mutter verhält?«

»Sieh es doch so«, sagte ich. »Dein Vater hat schließlich auch null Ahnung, wie man sich als Vater verhält, oder?«

»Das kannst du laut sagen!«

»Also, was ist dann daran so schlimm? Dein Vater scheint sich heute Abend ziemlich wohl zu fühlen.«

»Heute Abend schon.«

»Vielleicht wird er mit Giraffenhals in Zukunft ständig glücklich sein.«

Jimmy zuckte mit den Schultern. »Beverly meinte, sie würde nicht versuchen, mir gegenüber die Mutter spielen, da ich ja schon eine habe. Sie sagte, sie würde lieber meine Freundin sein. Was sie damit wohl meint?«

»Keine Ahnung. Am besten, du wartest ab, wie sich das Ganze entwickelt.«

Es war schon nach 21 Uhr, als wir an diesem Abend wieder nach Hause kamen. Tutzi war in Papas Armen eingeschlafen. Henry eilte uns in der Eingangshalle entgegen. »Mrs Hatcher …«, begann er. »Sie haben Besuch bekommen.«

»Besuch?«, fragte Mama. »Um diese Zeit? Warren, erwartest du jemanden?«

Papa schüttelte den Kopf. »Nein, keine Ahnung, wer das sein könnte.«

»Ich weiß es!«, rief Futsch triumphierend. »Großmutter und Buzzy.«

»Nein, es ist nicht deine Großmutter«, sagte Henry und überreichte Mama einen Zettel.

»Dann ist es bestimmt William, mein Lehrer«, fuhr Futsch unverdrossen fort.

»Warum sollte dein Lehrer so spät abends zu dir nach Hause kommen?«, fragte ich ihn.

»Na, weil er mich mag«, antwortete Futsch unbekümmert.

»Die Welt dreht sich nicht nur um dich, mein Kleiner«, sagte ich zu ihm, während Mama den Zettel auseinander faltete.

Dann las sie laut vor. »Lieber Pummel ...«, begann sie und erbleichte.

Oh nein!, dachte ich bestürzt.

»Oh je!«, trällerte Futsch. »Die Howies!«

»Lass Mama zu Ende lesen«, sagte ich.

Mama nahm einen zweiten Anlauf.

Lieber Pummel, liebe Anne,
hurra! Wir sind in der großen Weltstadt eingetroffen und sitzen im Wagen, direkt um die Ecke. Können es kaum erwarten, euch alle wieder an unser Herz zu drücken!
Bis bald,
Eure lieben Verwandten
Howie, Eudora, Fauna, Flora und Farley

»Oh«, sagte Mama. »Was für eine Überraschung!«

Überraschung? So kann man es auch nennen ...

Papa drückte Mama die schlafende Tutzi in die Arme. »Geh du schon mal hoch mit ihr. Ich sehe gleich nach Cousin Howie.«

»Ich komme mit!«, rief Futsch.

»Oh nein, es ist schon spät«, widersprach Mama. »Und du musst morgen zur Schule.«

»Ich bin aber nicht müde«, entgegnete Futsch. »Schau! Siehst du, wie weit meine Augen noch offen sind?«

»Na schön, aber beeilt euch«, sagte Mama. »Was ist mit dir, Peter?«, fragte sie, als ich ihr zum Aufzug folgte.

»Ich bin hundemüde«, antwortete ich. »Und mir ist plötzlich nicht wohl. Ich glaube, ich muss gleich ins Bett.«

Sie versuchte, mir die Stirn zu fühlen, doch mit Tutzi auf dem Arm war das ziemlich schwierig. »Du wirst mir doch nicht krank werden, oder?«, sagte sie besorgt.

»Doch, bin ich schon«, antwortete ich. »Aber nicht so, wie du denkst.«

DAS TOTAL VERRÜCKTE FAMILIEN-CAMP

Knapp eine Stunde später lagen die Howies friedlich schlafend auf unserem Wohnzimmerboden. »Mit der Sonne aus den Federn, mit dem Monde schlafen gehen!«, hatte Onkel Howie erklärt. »Ihr werdet unsere Anwesenheit kaum bemerken.«

Wetten, dass doch, dachte ich säuerlich.

Schon waren unsere lieben Verwandten – mir nichts, dir nichts – in ihre Schlafsäcke gekrochen und hatten die Augen zugemacht. Onkel Howie schnarchte leise. Neben ihm lag Tante Eudora, dann Mini-Farley und schließlich die beiden Naturschönheiten. Alle fünf Familienmitglieder schliefen auf dem Rücken und sahen aus wie eine Reihe Hotdogs im Brötchen. Fehlte nur noch etwas Senf und Ketschup …

Turtle begriff die Welt nicht mehr. Immer wieder beschnüffelte er unsere Gäste. In Ermangelung irgendwelcher Zehen versuchte er sogar, Eudoras Gesicht abzulecken. Aber trotzdem wachte keiner von ihnen auf. Mama meinte, ich solle Turtle in mein Zimmer bringen, und zwar möglichst rasch, doch ich schaffte es beim besten Willen nicht, ihn von den Howies wegzulocken. »Psst …«, flüsterte ich, während ich auf allen vieren durch unser Wohnzimmer kroch und ihm ein Stückchen Käse hinhielt. »Komm schon, mein Süßer.« Doch Turtle würdigte mich keines Blickes.

Mama winkte mich in die Küche. Sie holte gerade Teller, Schüsseln und Besteck aus den Schränken und Schubladen. »Würdest du bitte neun Saftgläser hinstellen, Peter?«

»Halten wir eine Mitternachtsparty ab, oder was?«

»Nein, für das Frühstück morgen«, antwortete Mama.

Ich schaute in den Gläserschrank. »Bedauere, Mama, aber ich muss dir leider mitteilen, dass wir keine neun Saftgläser besitzen. Wie wär's mit vier?«

»Na gut, dann sage ich Papa, er soll ein paar Pappbecher holen.«

»Hey, wo steckt Papa überhaupt?«

»Er ist einkaufen. Wir müssen morgen früh fünf zusätzliche Mäuler füttern.« Als plötzlich das Telefon läutete, sauste Mama wie ein geölter Blitz an den Apparat. »Ich geh ins Schlafzimmer, damit unsere Gäste nicht aufwachen«, flüsterte sie mir noch zu.

Sobald Mama die Küche verlassen hatte, kam Futsch aus seinem Zimmer geschossen. Er trug schon seinen Schlafanzug und begann fröhlich, über die schlafenden Howies zu hüpfen, was Turtle veranlasste zu bellen. Aber die fünf rührten sich noch immer nicht.

»Vielleicht sind sie tot«, flüsterte Futsch mir zu.

»Ganz bestimmt nicht!«, zischte ich.

»Woher willst du das wissen?«

»Sie atmen noch. Sei mal still, dann kannst du sie hören.«

Futsch spitzte die Ohren. Dann sagte er: »Es ist gut, dass sie atmen, nicht wahr, Pit?«

»Genau, da können wir echt froh sein.«

Andächtig beobachtete Futsch die schlafenden Howies etwa eine Minute lang, dann blickte er wieder zu mir hoch. »Das ist richtig lustig, nicht wahr, Pit?«

»Nein«, widersprach ich. »Ich finde es nicht lustig.«

Er folgte mir wieder in die Küche. »Wieso nicht?«

»Wieso nicht?«, wiederholte ich höhnisch. »Dafür könnte ich mindestens fünf gute Gründe nennen.«

»Aber Pit ... Großmutter sagt doch immer: *Je mehr, desto lustiger.*«

»Großmutter hat dauernd irgendwelche Sprichwörter auf Lager. Aber du brauchst längst nicht alle zu glauben.«

»Doch, tu ich.« Futsch schob einen Stuhl an den Küchenschrank, kletterte hinauf, öffnete die Tür mit den Süßigkeiten und nahm eine Packung Reiswaffeln heraus. »Das ist jetzt wie ein riesiges Zeltlager, stimmt's?«

Mir wären etliche andere Ausdrücke als *Zeltlager* eingefallen, um unsere missliche Situation zu beschreiben, doch keiner von ihnen eignete sich für die Ohren eines Fünfjährigen.

Als Mama in die Küche zurückkehrte und Futsch fröhlich beim Futtern antraf, nahm sie ihn in die Arme und trug ihn wortlos in sein Zimmer zurück, wo er zu trällern begann:

»Der Mond gehört uns allen,
doch die besten Dinge im Leben kosten Geld.
Die Sterne gehören uns allen,

sie schimmern, damit wir uns erfreu'n.
Geld, Geld, Geld,
Welt, Welt, Welt,
Held, Held, Held,
Zelt, Zelt, Zelt …«

Natürlich dauerte es keine Minute, bis Turtle zu jaulen begann. Er liebt es, mit Futsch zusammen zu singen. Ich war heilfroh, dass Onkel Feder nach wie vor streikte. Einem Trio wäre ich heute Abend nicht mehr gewachsen gewesen.

Wenn ich zu diesem Zeitpunkt ins Bett gegangen und gleich eingeschlafen wäre, wäre vermutlich alles noch irgendwie erträglich gewesen – ich wäre zwar sauer gewesen, aber mehr nicht. Doch ich verfiel ins Grübeln. Angenommen, heute Abend wären die Simpsons gekommen und ich hätte sie mir anschauen wollen? Unser einziger Fernseher steht im Wohnzimmer. Meine Gedanken überschlugen sich. Moment mal …, angenommen, unser Physiklehrer hätte uns aufgetragen, eine bestimmte Sendung zu schauen, die wir morgen in der Klasse besprechen würden. Das hat er schon mal gemacht. Doch diesmal hätte ich seine Fragen nicht beantworten können. Dann würde mein Lehrer sagen: »Du hättest mir sagen sollen, dass ihr keinen Fernseher habt, Peter.« Woraufhin Sheila Tubmans Hand hochschießen und sie triumphierend verkünden würde: »Ganz zufällig weiß ich, dass die Hatchers einen Fernseher haben, Mr DeFeo. Er steht in *ihrem Wohnzimmer.*« Dann müsste ich vor versammelter Klasse erklären, dass ich leider nicht fernsehen konnte, weil unser Wohnzimmer in eine Art Zeltlager umfunktioniert worden war. »Ein Zeltlager?«, würde Mr DeFeo nachfragen. Und dann müsste ich mir rasend schnell einen Namen einfallen lassen. »Ja, das Familien-Camp«, würde ich behaupten. Daraufhin würde sich natürlich die gesamte Klasse totlachen.

Je länger ich darüber nachdachte, desto wütender wurde ich. Mein Herz begann schneller zu schlagen, mein Mund fühlte sich trocken an und meine Handflächen verschwitzt. Doch noch immer konnte ich mich nicht vom Anblick der schlafenden Howies losreißen. Es war wie in einem dieser schrecklichen Albträume, wenn man fliehen möchte, aber einfach nicht kann. Es war, als wären meine Füße am Boden festgeklebt. Ich fühlte förmlich, wie die Wut in mir aufkochte. Gleich würde ich platzen, denn die Wut brodelte in mir wie die heiße Lava eines Vulkans. Geh einfach ins Bett, sagte ich mir immer wieder. Doch meine Füße weigerten sich, den Befehl meines Gehirns auszuführen.

Schließlich riss ich mich mit Gewalt von dem Anblick des Familien-Camps los. Ich stampfte durch den Flur ins Badezimmer, warf die Tür hinter mir zu und lehnte mich dagegen. Doch als ich die fünf Zahnbürsten sah, die fein säuberlich aufgereiht dastanden, die fünf Handtücher und die fünf Haarbürsten – ganz zu schweigen von der riesigen Familienpackung Vitaminpillen –, da flippte ich aus. Echt wahr, total! Ich packte die Handtücher und schleuderte sie auf den Boden, eines nach dem anderen. Dann trampelte ich darauf herum, als würde ich versuchen, einen riesigen Mistkäfer zu zertrampeln. *Aaaagh* … Dieser erstickte Laut kam aus dem Innersten meiner Seele, während ich die Haarbürsten mit einer schnellen Handbewegung von der Ablage schob. Dann kickte ich nach ihnen, als wären sie giftige Schlangen. *Aaaggghhhh …*, ich hatte mich in einen rasenden Spinner verwandelt. Nein, noch schlimmer – ich hatte mich in meinen Bruder im Schuhgeschäft verwandelt. Auf einmal blieben meine Augen an meinem Spiegelbild haften. Himmel – mein Gesicht war feuerrot, meine Augen funkelten. Ich sah aus wie ein Monster aus einem Gruselfilm. Irgendwo in meinem Hinterkopf hörte ich Onkel Howies Stimme: Und was tun wir, wenn wir uns für einen Moment vergessen haben?

Und die Naturschönheiten antworteten: Wir halten inne und zählen bis zehn.

Und wenn das noch nicht reicht?

Dann zählen wir noch einmal bis zehn.

Also begann ich brav zu zählen. Als ich bei zehn ankam, holte ich tief Luft und begann noch einmal von vorne. Im Spiegel sah ich, wie mein Gesichtsausdruck allmählich wieder normal wurde. War es zu fassen!? Ich hatte Onkel Howies Methode angewandt, um meine Wut in den Griff zu bekommen! Ebenso wenig konnte ich fassen, dass sie tatsächlich funktioniert hatte. Ich schüttelte die fünf Handtücher aus und hängte sie wieder fein säuberlich an die Haken. Wahrscheinlich würde es niemand merken, dass sie auf dem Boden gelegen hatten. Sie waren ohnehin dunkelgrau. Es muss noch andere Möglichkeiten geben, mit dieser Situation umzugehen, sagte ich mir, während ich auch die Haarbürsten wieder ordentlich an ihren Platz zurücklegte.

Entschlossen marschierte ich durch den Flur zu Mamas und Papas Schlafzimmer und vergaß in meinem Eifer sogar anzuklopfen. »Hör mal, Mama, woher wissen wir überhaupt, dass diese Leute auch sind, wer sie zu sein behaupten?«, sprudelte es aus mir heraus.

Mama lag schon im Bett und hielt sich eine Hand an die Stirn. »Was?«, fragte sie mit müder Stimme.

»Die Howies. Ich meine, sie könnten doch irgendwer sein. Vor einer Woche wussten wir noch nicht mal was von ihrer Existenz und heute schlafen sie schon bei uns auf dem Wohnzimmerboden.«

»Aber Onkel Howie hat das typische Hatcher-Kinn, findest du nicht?«, meinte Mama.

»Keine Ahnung, was das typische Hatcher-Kinn ist«, fauchte ich. »Ich habe jedenfalls keins gesehen. Du etwa?«

»Nun, ich dachte schon …« Mama wirkte einen Moment lang verwirrt. Dann schüttelte sie den Kopf und wedelte mit der Hand. »Ach, das ist doch albern. Natürlich ist Howie Papas Cousin.«

»Na ja, mir kann es schließlich egal sein, wenn ihr fünf wildfremde Menschen in unserem Wohnzimmer schlafen lasst.«

»Es sind keine wildfremden Menschen, mein Schatz«, antwortete Mama. »Es sind Verwandte. Niemand außer seinem Cousin Howie hat deinen Vater jemals Pummel genannt.« Sie legte mir einen Arm um die Schultern. »Du solltest jetzt aber auch ins Bett gehen.«

»Ich möchte nur noch eines wissen, Mama.«

»Und was?«

»Warum du und Papa sie einladen musstet, bei uns zu wohnen. Wir haben nicht einmal Platz für zwei weitere Personen, von fünf ganz zu schweigen.«

»Sie haben sich mehr oder weniger selbst eingeladen, du warst doch dabei«, erinnerte mich Mama. Eine Minute lang schwiegen wir beide. Dann sagte Mama: »Hör mal, für deinen Vater ist es ziemlich wichtig. Deshalb sollten wir versuchen, das Beste daraus zu machen, okay?«

»Wieso wichtig?«

»Als dein Vater noch klein war, ist seine Mutter schwer krank geworden«, erklärte Mama.

»Wirklich?«

Mama nickte. »Und da haben sich die Eltern seines Cousins Howie ganz wunderbar verhalten. Papa durfte den ganzen Sommer bei ihnen verbringen. Und für eine Weile standen er und sein Cousin sich so nahe wie …, na ja, wie du und Jimmy.«

»Wieso hab ich noch nie davon gehört?«

»Ich nehme an, dein Vater spricht nicht gern über diese Zeit in seinem Leben. Es war ziemlich hart für ihn.«

»Ging es seiner Mutter danach wieder besser?«

»Ja, aber nur eine Zeit lang.«

»Ich wünschte, Papa würde mir solche Sachen erzählen.«

»Er möchte dich sicher nicht damit belasten.«

»Aber wie sollte ich dann jemals irgendwas verstehen, wenn er mir nie etwas erzählt?«

»Vielleicht wird er das eines Tages tun«, sagte Mama.

»Bis dahin ist es vermutlich zu spät.«

»Hoffentlich nicht.« Sie streckte einen Arm aus und zerzauste mir die Haare. »Natürlich verstehe ich, dass die Tatsache, dass fünf praktisch fremde Menschen in unserem Wohnzimmer übernachten, dir nicht viel Privatsphäre lässt – keinem von uns, übrigens. Aber es ist doch nur für eine Nacht, allerhöchstens zwei. Das werden wir schon überleben.« Sie beugte sich zu mir und gab mir einen Kuss. Manchmal ist mir das unangenehm, doch diesmal nicht.

Beim Einschlafen hörte ich immer wieder Mamas Stimme, die sagte: Es ist doch nur für eine Nacht, allerhöchstens zwei. Und als ich am nächsten Morgen aufwachte, waren die Howies schon in der Küche, wo sie sich gerade häuslich einrichteten – Tante Eudora stand am Herd, wo sie Rühreier machte, Onkel Howie bediente den Toaster. Mini saß auf dem Küchentresen neben dem Spülbecken, drückte die leeren Eierschalen klein und klebte sie sich an die Nase und die Stirn. Dieses Kind ist genauso verrückt wie Futsch, kam mir unwillkürlich in den Sinn. Die Naturschönheiten saßen am Tisch und verdrückten Papas Müslimischung. Futsch saß an seinem Stammplatz und zählte wie üblich seine *Cheerios* ab.

Mama stand auch in der Küche, schon in ihrem weißen Kittel. Offenbar wollte sie gleich zur Arbeit gehen. Sie sah nicht sehr glücklich aus. Ganz zufällig weiß ich, dass Mama nicht gern fremde Menschen in ihrer Küche hat. Ab und zu darf Großmutter bei uns kochen, aber das ist auch schon das höchste der Gefühle. Unsere Küche ist zudem nicht sehr geräumig. Wir haben einen kleinen Tisch, der an der Wand steht.

Wenn man an diesem Tisch sitzt, kann man mühelos zum Herd greifen, was manchmal ganz praktisch ist. Aber meistens essen wir in der Essecke.

Ich goss mir ein Glas Orangensaft ein und schnappte mir den letzten noch freien Stuhl.

»Guten Morgen, Peter!« Tante Eudora strahlte mich an. »Wir haben gerade von dir geredet.«

Von mir? Hilfe, was hatten sie wohl über mich gesagt?

»Wir haben uns gerade überlegt, ob du nicht vielleicht Flora und Fauna heute zur Schule mitnehmen könntest.«

Wie bitte? Ich muss mich verhört haben. Wahrscheinlich habe ich vom Duschen noch etwas Wasser in den Ohren.

»Sie würden zu gern einmal eine New Yorker Schule besuchen«, fuhr Eudora fort.

Ich musste mir rasch etwas einfallen lassen. »An meiner Schule sind keine Gastschüler erlaubt«, sagte ich hastig und hoffte, dass Mama das bestätigen würde.

»Das stimmt«, sagte Mama da auch prompt. »Sie lassen niemanden hinein, der sich nicht vorher angemeldet hat. Hier in New York herrschen an Schulen sehr strenge Vorschriften.«

»Und sehr strenge Sicherheitsvorkehrungen«, sagte ich vorsichtshalber, damit Eudora es auch wirklich begreifen würde. »Und außerdem«, wandte ich mich an die Naturschönheiten, die sich gerade eine zweite Portion von Papas Müsli in ihre Schalen schütteten, »dachte ich, ihr seid nur Privatunterricht gewöhnt.«

»Das sind wir auch«, begann Flora. »Aber das bedeutet noch lange nicht ...«

»… dass wir nicht auch einmal eine Schule besuchen können«, ergänzte Fauna. »Und zudem behandeln wir gerade …«

»… fremde Kulturen«, schloss Flora den Satz ab.

»Hey, wir sind hier in New York«, erklärte ich den beiden. »Das ist nicht direkt das, was man unter einer fremden Kultur versteht.«

»Für uns schon«, erklärte Fauna und musste aufstoßen. »Entschuldigung, das ist der Orangensaft.«

»Wir sind nur frisch gepresste Säfte gewöhnt«, erklärte Flora.

Mama verdrehte die Augen und goss sich eine zweite Tasse Kaffee ein.

Ich versuchte herauszufinden, ob es ein bestimmtes Muster gab, nach dem die Naturschönheiten redeten. Fängt Flora immer an oder nur manchmal? Ist Fauna diejenige, die immer die Sätze abschließt? Bis jetzt stand ich noch vor einem Rätsel. Und ständig darauf zu achten, wer was sagte, machte mich richtig fertig, obwohl der Tag kaum angefangen hatte.

Onkel Howie servierte seinen beiden Töchtern je einen Teller mit Toast und Rührei. Erst da bemerkte er Papas Müslipackung und die leeren Schalen von Flora und Fauna. »Was habt ihr Mädels da gegessen?«, fragte er mit strenger Stimme und schnappte sich die Schachtel. Es war eines der Müslis, die versprechen, Erwachsene jung und fit und gesund zu erhalten. Onkel Howie las mit lauter Stimme die Liste der Zutaten vor, die seitlich auf der Packung aufgedruckt waren. »Künstliche Süßstoffe? Geschmacksverstärker?« Empört funkelte er die Mädchen an. »Wiederholt sofort: Ich bin nicht so dumm, meinen Körper mit unnatürlichen Speisen zu vergiften.«

Eingeschüchtert wiederholten sie diesen Satz.

»Noch einmal!«, befahl Onkel Howie.

»Wir sind nicht so dumm, unseren Körper mit unnatürlichen Speisen zu vergiften.«

»Schon besser!«, sagte er. »Und jetzt esst eure Eier auf.«

»Aber, Papa …«, begann Flora, »wir haben …«

»… keinen Hunger mehr«, endete Fauna.

»Keinen Hunger?«, wiederholte Onkel Howie mit donnernder Stimme. *»KEINEN HUNGER!«*

»Klar, das haben sie gesagt«, erklärte Futsch Onkel Howie. »Hast du es nicht gehört?«

Onkel Howies Gesicht verfärbte sich von feuerrot zu dunkelrot.

»Futschi, denk an deine Manieren!«, versuchte Mama, Futsch zu stoppen.

»Das tu ich doch! Und wenn Onkel Howie nicht gut hören kann, dann helfe ich ihm. Das tue ich bei Mrs Osterman doch auch immer.«

»Ich kann hervorragend hören!«, brüllte Howie.

»Schon gut, Howie«, versuchte Eudora ihn zu beschwichtigen. »Morgen werden unsere Mädchen wieder ein gesundes Frühstück zu sich nehmen. Wie wär's, wenn *du* heute ihr Rührei auf Toast essen würdest?«

»Du kannst diesen Stuhl hier haben«, sagte ich und sprang auf, um ihm Platz zu machen.

»Danke«, antwortete Onkel Howie.

Turtle, der bisher stumm unter dem Tisch gelegen hatte, blickte flehentlich zu Howie hoch und wimmerte, um ihn wissen zu lassen, dass er nichts dagegen hätte, einen Teil der Rühreier abzubekommen.

In diesem Moment kam Papa mit Tutzi auf dem Arm herein. Er setzte sie in ihren Babysitz. »Ios«, sagte sie und zeigte auf Futschs *Cheerios*-Packung.

Papa streute ein paar *Cheerios* auf ihr Tablett.

»Oooooh, sie ist …«, begann Flora.

»… ja so süß!« Fauna musste erneut aufstoßen, worüber Tutzi natürlich laut lachen musste.

»Sie heißt Tamara Roxanne«, verkündete Futsch, »aber ich verrate euch nicht, wie wir sie nennen.«

»Das kriegen wir heraus«, meinte Fauna. »Tammy?«

»Falsch!«, rief Futsch erfreut.

»Roxy?«, mutmaßte Flora.

»Wieder falsch!«

»Mara?«, versuchte es Fauna.

»Nein!« Futsch strahlte vor Freude.

Insgeheim fand ich, dass all diese Namen wesentlich besser klangen als *Tutzi*, doch das behielt ich lieber für mich.

»Ein kleiner Tipp«, sagte Futsch gönnerhaft. »Es gibt Bonbons, die auch so heißen.«

»Wir essen keine Süßigkeiten«, sagte Flora.

»Nicht mal an Halloween?«, fragte Futsch entgeistert.

»Nein, nicht mal dann«, entgegnete Fauna. »Deshalb sind unsere Zähne auch so …«

»… schneeweiß und makellos.« Flora riss den Mund so weit auf, dass alle Anwesenden ihre Zähne bewundern konnten. »Wir hatten noch nie ein Loch im Zahn.«

»Aber Eis esst ihr!«, sagte Futsch. »Das habe ich gesehen.«

»Mit Schokoladensauce«, fügte ich hinzu, womit ihr Keine-Süßigkeiten-Argument eindeutig widerlegt war, wie ich fand.

»Papa sagt, Eiscreme sei lebenswichtig«, behauptete Flora.

»Und heiße Schokoladensauce ist eine alte Familientradition«, erklärte Fauna.

»Papa legt großen Wert auf alte Familientraditionen«, sagte nun wieder Flora.

»Groß, groß«, trällerte Tutzi nach und breitete ihre Ärmchen aus.

»Also, sag schon, wie nennt ihr dieses entzückende Kind?«, fragte Fauna.

»Wir nennen sie … Tutzi!«, verkündete Futsch voller Stolz.

»Tutsssi«, wiederholte Tutzi.

»Was für ein hübscher …«, begann Fauna.

»… Name«, ergänzte Flora. »Falls wir eine kleine Schwester bekommen …«

»… nennen wir sie vielleicht auch Tutzi«, meinte Fauna.

»Und wenn ihr einen kleinen Bruder bekommt?«, wollte Futsch wissen.

»Was, noch einen?«, fragte Flora entgeistert.

Wir alle blickten auf Mini, der sich gerade den Schwamm aus der Spüle geschnappt hatte und ihn sich genüsslich in den Mund stopfte.

»Farley!«, rief Mama und nahm ihm den Schwamm rasch weg. »Da ist Spülmittel dran.«

Mini knurrte nur und blickte Mama empört an.

Sobald ich mit meinem Frühstück fertig war, suchte ich umgehend das Weite. Ausnahmsweise konnte ich es einmal nicht erwarten, in die Schule zu kommen, wo ich für den Rest des Tages nicht mehr an die Howies denken musste. Mit etwas Glück waren sie vielleicht schon wieder abgereist, wenn ich am Nachmittag nach Hause käme.

Doch Pustekuchen! Nach der großen Pause, als Mr Shane gerade mit dem Unterricht anfangen wollte, wurde die Tür unseres Klassenzimmers geöffnet und die Direktorin, Mrs Rybeck, kam herein – in Begleitung von zwei Mädchen in bescheuerten lila Kleidern.

Das darf nicht wahr sein!, dachte ich. Das ist nur ein böser Traum. Gleich werde ich aufwachen und fange diesen Tag noch einmal von vorne an. Ich weiß ganz genau, dass die Naturschönheiten nicht an meiner Schule auftauchen und im Moment auch nicht vor meiner Klasse stehen können. Das weiß ich, weil es strenge Sicherheitsvorschriften gibt. Fremde haben keinen Zutritt. Ich blinzelte und kniff die Augen zu. Okay, sagte ich mir, wenn ich gleich die Augen wieder öffne, sind sie verschwunden. Der einzige Mensch, der dort vorne stehen wird, ist Mr Shane. Ich werde jetzt bis drei zählen, schön langsam. Eins ... zwei ... drei.

Ich machte die Augen wieder auf, doch Mrs Rybeck war immer noch da und stellte uns gerade die Naturschönheiten vor. »Ein herzliches Willkommen für unsere berühmten Besucherinnen aus Hawaii ...«

Berühmt?, dachte ich höhnisch. Ha, jetzt wusste ich definitiv, dass ich das alles nur träumte!

»Sie sind auf sämtlichen Inseln Hawaiis bekannt als die *Himmlischen Hatcher-Girls*«, fuhr Mrs Rybeck fort, »und freundlicherweise haben sie sich bereit erklärt, uns heute Nachmittag nach dem Unterricht eine kleine Kostprobe ihres Könnens zu geben.«

Nein! Nein! Nein! Ich spürte, wie Jimmys und Sheilas Blicke mich durchbohrten. So, so, sie heißen mit Nachnamen Hatcher. Na und? Es gibt sicher tausende von Hatchers. Ich werde so tun, als sei das alles nur ein Zufall. Bitte, bitte, liebe Mrs Rybeck, erwähnen Sie nicht, dass die beiden mit mir verwandt sind. Bitte ..., bitte ...

Hatte Mrs Rybeck meine stumme Bitte gehört? Nein! »Bei einem unerwarteten Familientreffen in Washington, D. C.«, fuhr sie unverdrossen fort, »hat euer Klassenkamerad Peter Hatcher rein zufällig seine beiden Cousinen zweiten Grades getroffen, Flora und Fauna Hatcher, von deren Existenz er bisher nichts wusste.«

Warum tat die Direktorin mir das an? Hatte ich ihr jemals etwas Böses getan? Wenn die beiden jetzt gleich anfangen zu trällern ›Die besten Dinge im Leben sind frei‹, muss ich mich übergeben. Ich werde mir die Seele aus dem Leib kotzen. Oder vielleicht habe ich zur Abwechslung mal Glück und falle einfach tot um.

»Peter Hatcher?«, fragte Mrs Rybeck.

Da sie mich nicht persönlich kannte, wartete Mrs Rybeck darauf, dass ich die Hand hob. Doch den Gefallen tat ich ihr nicht.

»Peter Hatcher?«, wiederholte Mrs Rybeck.

Jimmy drehte sich zu mir um und blickte mich fragend an.

Schließlich fragte Mrs Rybeck: »Ist Peter Hatcher heute Morgen überhaupt anwesend?«

Sheilas Hand schoss hoch. »Er sitzt da drüben, Mrs Rybeck.« Sie zeigte unmissverständlich auf mich. Inzwischen hatte sich die ganze Klasse zu mir gedreht und glotzte mich an.

»Ah, gut«, sagte Mrs Rybeck.

Ich sank tiefer und tiefer in meinen Sitz und hoffte, dass ich bald so tief unten war, dass mich keiner mehr sehen konnte. Doch stattdessen rutschte ich versehentlich vom Stuhl und landete unsanft auf dem Fußboden.

Alle lachten, die Naturschönheiten nicht ausgenommen.

»Ich weiß, es ist aufregend, so berühmte Verwandte zu haben, Peter«, sagte Mrs Rybeck, »aber versuch trotzdem, die Nerven zu behalten. Du wirst dich freuen zu hören, dass deine Cousinen während ihres Aufenthalts in New York mit dir zusammen unseren Unterricht besuchen dürfen.«

Auf dem Weg zur nächsten Stunde nannte Jimmy mich »Kleiner Mondstrahl«. »Na ja, wo du doch mit den Himmlischen Hatchers verwandt bist …«

»Lass das!«, fauchte ich.

»Hab ich dich erwischt!«, antwortete Jimmy lachend.

Am Nachmittag, vor der Darbietung meiner Verwandten in der Aula, entschuldigte ich mich und marschierte ins Krankenzimmer.

»Was ist mit dir los?«, erkundigte sich unsere Schulkrankenschwester, eine große, kräftige Frau.

»Grippe«, knurrte ich.

»Welche Symptome?«, fragte sie.

»Hm ... Fieber und Kopfschmerzen.«

Sie stopfte mir ein Thermometer in den Mund und fühlte meinen Puls. Dann nahm sie das Thermometer wieder heraus und las die Temperatur ab. »Völlig normal«, sagte sie. Ich merkte, dass sie meine Symptome nicht sehr überzeugend fand.

»Und ich bin sehr, sehr müde.« Ich gähnte, um ihr zu beweisen, dass ich mich vor Müdigkeit kaum noch auf den Beinen halten konnte. »Kann ich nicht einfach ein Weilchen hier bleiben, bis nach der Vorführung in der Aula?«

»An einem anderen Tag kämst du damit vielleicht durch«, sagte die Krankenschwester, »aber heute nicht. Ich will auf keinen Fall die *Himmlischen Hatcher-Girls* verpassen. Ach übrigens, da fällt mir gerade auf: Hast du nicht eben gesagt, du heißt Peter *Hatcher*?«

»Ja, aber wir sind nicht verwandt.«

»Ach ja?«

»Ich meine, manche Leute meinen, wir seien es, aber das stimmt nicht. Es ist nur ein Zufall, dass wir denselben Familiennamen haben.«

»Tatsächlich? Ich könnte schwören, Mrs Rybeck hätte mir erzählt ...«

»Oh ..., das ist der andere Peter Hatcher, der in der siebten Klasse.«

»Und in welche Klasse gehst du?«

»Hm ..., auch in die siebte.«

»So, so.«

»Na schön …, wir sind irgendwie weitläufig verwandt, um hundert Ecken oder so.«

»Das ist ja interessant.«

»Bitte«, bettelte ich. »Bitte, ich möchte auf keinen Fall da hingehen. Ich glaube nicht, dass ich das überleben würde. Wollen Sie daran schuld sein, wenn ich tot umfalle?«

»Ist es so schlimm?«

»Schlimmer«, sagte ich kleinlaut.

»Na schön«, sagte sie endlich. »Aber ich bestehe darauf, dass du dich hier auf diese Liege legst und nicht von der Stelle rührst, bis ich zurück bin. Versprochen?«

»Keine Angst. Ich werde keinen Mucks machen.«

»In zehn Minuten bin ich zurück. Ich möchte nur ihr Eröffnungslied hören.« Als sie die Tür hinter sich zuzog, stieß ich einen Seufzer der Erleichterung aus. Ich ahnte, was gleich passieren würde. Ich wusste, dass die Naturschönheiten ihr erstes Lied gar nicht erst zu Ende singen könnten, weil sie unter Gelächter und Buhrufen des Publikums vorzeitig die Bühne verlassen müssten. Kein Gymnasiast in New York City konnte sich die *Himmlischen Hatcher-Girls* ansehen, ohne vor Lachen vom Stuhl zu fallen. Die Kinder in den vorderen Reihen würden sie mit allen möglichen Sachen bewerfen, vielleicht den Resten vom Mittagessen – mit Orangenschalen oder kalten, labbrigen Pommes frites. Der heutige Tag würde in die Annalen unserer Schule eingehen als der Tag, an dem die *Himmlischen Hatcher-Girls* ihren letzten Auftritt hatten.

GEHT NICHT ÜBER LOS!

Okay, okay, ich hatte mich getäuscht. Sie wurden weder ausgelacht, noch bewarf man sie mit Essensresten. Die *Himmlischen Hatcher-Girls* waren der große Hit. Na und? Das brachte mich noch lange nicht dazu, meine Meinung über sie zu ändern.

Am Ende dieses Tages waren Sheila und die Naturschönheiten so eng befreundet, als würden sie sich schon ein Leben lang kennen. Sheila konnte sie sogar auseinander halten. »Es ist ganz einfach«, erklärte sie mir auf dem Nachhauseweg. »Aber natürlich nur, wenn man ein Mensch mit einem Auge für Details ist, was bei dir, Peter, offenbar nicht der Fall ist.« Sheila lud sie sogar ein, bei ihr zu übernachten. »Da Libby jetzt im Internat ist, habe ich das ganze große Zimmer nur für mich allein.«

Super!, dachte ich. Geht direkt zu Sheila. Geht nicht über Los! Betretet meine Wohnung gar nicht erst. Nie mehr, bitte!

Doch die Naturschönheiten konnten bitten und betteln, so lange sie wollten, Onkel Howie wollte nichts davon hören. »Ihr wisst genau, was ich von Massen-Schlaflagern halte. Ihr wollt euch doch nicht etwa schlechten Einflüssen aussetzen, oder?«

Ich blickte über die Reihe der Schlafsäcke auf dem Boden unseres Wohnzimmers. »Ist das hier etwa kein Massen-Schlaflager?«, konnte ich mir nicht verkneifen zu fragen.

»Aber nicht doch, Peter, mein Junge«, widersprach Howie im Brustton der Überzeugung. »Das hier ist ein Familientreffen.«

Zum Glück meldete sich auch Tante Eudora zu Wort. »Weißt du, Howie ..., vielleicht wäre es gar keine so schlechte Idee, unseren Töchtern ein klitzekleines bisschen an persönlicher Freiheit zu gönnen.«

»Häferlein?«, rief Tutzi, die dachte, Eudora würde ihr gleich das Lied *Ein klitzekleines Käferlein* vorsingen.

Onkel Howie durchbohrte Eudora mit einem Blick, als habe sie etwas Ungeheuerliches gesagt. »Was willst du damit sagen, Herzblatt?«

»Damit will ich sagen, dass sie ja in einer Wohnung im selben Gebäude übernachten würden, nur zwei Stockwerke von uns entfernt.«

»Aber wir wissen doch gar nichts über diese Tubmans«, rief Howie empört.

Ich überlegte gerade, dass ich ihm massenhaft Dinge über die Tubmans erzählen könnte, doch Mama kam mir zuvor. »Wir kennen die Familie Tubman seit Jahren.«

»Letzten Sommer waren wir sogar mit ihnen zusammen im Urlaub«, fügte Papa hinzu. »Wir haben drei Wochen lang im selben Haus gewohnt, in Maine.«

»Und meine Mutter ist mit Sheilas Großvater verheiratet«, gab Mama zu bedenken. »Gilt das nicht als *gut bekannt*?«

Die Naturschönheiten hielten gespannt die Luft an. Ich sah, dass beide hinter ihrem Rücken Zeige- und Mittelfinger überkreuzten.

»Und wie steht es mit ihrer Moral?«, fragte Howie weiter. »Was haben sie für Wertmaßstäbe?«

»Moral?«, stammelte Mama.

»Wertmaßstäbe?«, stammelte Papa.

Während Mama und Papa sich noch ratlos anblickten, sprang ich in die Bresche. »Oh, entschuldigt, aber ganz zufällig weiß ich, dass Sheila Tubman sehr viel von Moral und Wertmaßstäben hält.« Dass sie der Meinung war, mein kleiner Bruder habe *keine* Wertmaßstäbe, verschwieg ich lieber.

»Und außerdeeeeem ...« Futsch zog das Wort so sehr in die Länge, bis er sich sicher sein konnte, dass er im Mittelpunkt der allgemeinen Aufmerksamkeit stand. Ich spürte, dass er seine Klappe keine Sekunde länger halten konnte. »... heirate ich Sheila vielleicht eines Tages«, erklärte er den Howies. »Letzten Sommer haben wir schon Mann und Frau gespielt.«

»Mann und Frau gespielt?!«, rief Howie entsetzt aus.

»Ein ganz harmloses Spiel«, versicherte Mama dem armen Howie.

»Wir haben nicht mal im selben Bett geschlafen«, erklärte Futsch.

»Im selben Bett geschlafen?!«, stammelte Eudora.

»Großmutter und Buzzy Senior auch nicht«, fügte Futsch

noch hinzu. »Erst als sie verheiratet waren. Und seither spielen sie die ganze Zeit Knutsch-mich.«

»Knutsch-mich …!« Die Naturschönheiten wollten sich ausschütten vor Lachen.

Mini leckte Tutzis Arm ab. Sie tätschelte seinen Kopf, ganz ähnlich, wie sie auch Turtle tätschelt.

Zu guter Letzt erklärten sich Howie und Eudora bereit, nach unten zu gehen, um Sheilas Familie kennen zu lernen. Eine halbe Stunde später kehrten sie mit Sheila zurück und teilten Mama und Papa mit, sie hätten beschlossen, ihren Töchtern die Übernachtung in der fremden Wohnung zu erlauben. Sheila und die Naturschönheiten fielen sich lachend in die Arme und hüpften vor Freude auf und ab. Ich wäre am liebsten mit ihnen gehüpft.

»Mir ist allerdings nicht ganz wohl bei dem Gedanken«, sagte Onkel Howie zu seinen Töchtern, die schon voller Eifer ihre Schlafsäcke zusammenrollten und ein paar Dinge in ihre Rucksäcke stopften.

»Es wird ihnen nichts passieren«, versicherte Papa seinem besorgten Cousin.

»Sei mir nicht böse, Pummel …, aber ich würde diese Sache gern allein entscheiden.«

Papa zog die Augenbrauen hoch, verkniff sich jedoch jede weitere Bemerkung.

»Okay«, sagte Onkel Howie und stellte sich in die Tür, um den Naturschönheiten jeden Fluchtweg abzuschneiden. »Aber zuerst müsst ihr mir noch ein paar Dinge versprechen.«

Die Naturschönheiten tauschten einen kurzen Blick aus.

»Erstens …«, sagte Onkel Howie. »Keine Popmusik.«

Ich hatte große Mühe, mir das Lachen zu verkneifen.

Doch die Naturschönheiten nickten nur und wiederholten brav: »Keine Popmusik.«

»Zweitens …«, fuhr Onkel Howie fort, »keine von diesen billigen Illustrierten mit Ratgebertipps für gebrochene Herzen.«

Die Naturschönheiten nickten erneut.

»Drittens … kein Fernsehen.«

»Was meinen Sie mit ›kein Fernsehen‹, Mr Hatcher?«, fragte Sheila verblüfft.

»Damit meine ich: kein Fernsehen!«, erklärte Howie.

»Abgesehen von *Sesamstraße*«, fügte Eudora mit einem lieblichen Lächeln hinzu. »*Sesamstraße* wäre in Ordnung, findest du nicht auch, Howie?«

»Tutzi darf auch schon *Sesamstraße* gucken«, erklärte Futsch.

»Wir haben *alle* schon mal *Sesamstraße* geschaut«, sagte Sheila.

»Ich lehne Fernsehen grundsätzlich ab und damit basta!«, erklärte Onkel Howie. »Es macht aus jedem scharfen Verstand matschiges Gemüse.«

»Was für Gemüse?«, wollte Futsch wissen. »Ich mag Karotten und Mais.«

»Egal«, meinte Onkel Howie mit einer abwehrenden Handbewegung.

»Und Richie Potter mag am liebsten Broccoli«, fuhr Futsch unverdrossen fort.

»Ich sagte, egal!« Howies Stimme hatte jetzt einen scharfen Unterton.

»Und was ist mit Büchern?«, fragte Sheila. »Bücher sind doch okay, oder?«

»Aber nicht diese niveaulosen Herzschmerzromane«, entgegnete Howie.

»Und was ist mit Freunden?«, fragte Futsch. »Darf man die haben?«

»Unsere Mädchen haben einander, das reicht ihnen«, sagte Eudora.

»Ich habe Pit«, meinte Futsch, »aber trotzdem habe ich noch andere Freunde.« Er begann, durch das Wohnzimmer zu hüpfen. »Wisst ihr, wer mein bester Freund in der gestörten Gruppe ist? Richie Potter! Und ich habe auch eine Freundin. Sie wohnt in unserem Haus und heißt Melissa Beth Miller. Sie wohnt in der alten Wohnung von Jimmy Fargo. Und sie hat eine Katze, die Fuzzy heißt.« Er ließ sich auf den Boden fallen, kroch auf allen vieren herum und miaute zum Steinerweichen. »An Halloween verkleiden wir Fuzzy als Zauberer.« Futsch sprang wieder auf, streckte die Arme aus und drehte sich um die eigene Achse. »Wisst ihr schon, als was ich an Halloween gehe?« Er drehte sich, bis ihm so schwindelig war, dass er auf den Boden plumpste. »Ich gehe als Knauser. Und dafür ziehe ich meine Dollar-Krawatte aus Futschington an.«

Onkel Howie machte den Mund auf, doch es kam kein Wort mehr heraus.

Mini weinte, als die Naturschönheiten von dannen zogen, doch nur, bis Mama ihm versprach, er dürfe auch woanders übernachten.

»Und wo geht er hin?«, wollte Futsch wissen.

»In dein Zimmer«, erklärte Mama, während Mini schon seinen Schlafsack durch den Flur zog.

Futsch nahm Mama an der Hand und zog sie in die Küche. »Ich will aber nicht, dass Mini in meinem Zimmer schläft.«

»Er ist unser Gast, Futsch«, erklärte ihm Mama. »Und er bewundert dich.«

»Na und?«

»Also ist es eine Art Belohnung für ihn, wenn er bei dir schlafen darf.«

»Und was ist, wenn er mitten in der Nacht anfängt, meinen Arm abzulecken?«

»Eudora hat gesagt, dass das Lecken für Mini so etwas ist wie Küsschen geben. Es bedeutet nur, dass er dich sehr gern hat.«

»Ich will aber nicht, dass er mich ableckt.«

»Dann lass deinen Arm eben unter der Decke.«

»Und wenn ich es beim Schlafen vergesse?«

»Sobald Farley eingeschlafen ist, besteht keine Gefahr mehr.«

»Und wenn er gar nicht einschläft?«

»Ich verspreche dir, dass er bald einschlafen wird«, antwortete Mama.

»Ich will trotzdem nicht«, sagte Futsch. »Kann er nicht in Pits Zimmerhälfte schlafen?«

»Auf gar keinen Fall!«, sagte ich hastig. »Ich bleibe zu lange wach. Außerdem könnte Turtle dann vielleicht die ganze Nacht bellen.«

Mama schritt ein. »Farley wird auf dem Boden in *deinem* Zimmer schlafen, Futsch.«

»Von mir aus«, knurrte Futsch. »Aber ich schlafe auf dem Boden in Pits Zimmer.«

»Kommt nicht infrage!«, sagte ich. Dann ging ich in mein Zimmer, schloss die Tür ab und legte mich mit dem Buch, das ich mir von Großmutter ausgeliehen hatte, ins Bett. Sie hat gesagt, es sei ein Buch zum Lachen, und ein bisschen Lachen konnte mir an diesem Abend wirklich nicht schaden.

Sobald die Naturschönheiten nicht mehr da waren, begann Mini auf einmal zu reden. Es war eine solche Überraschung, seine Stimme zu hören, dass ich mich anfangs immer umblickte, um zu sehen, ob Futsch etwa für ihn sprach, so ähnlich wie bei Onkel Feder. Aber nein, es war Mini höchstpersönlich, der da auf Futschs Hocker stand und in Onkel Feders Käfig spähte. »Schöner Vogel«, sagte er.

»Er heißt Onkel Feder«, ließ Futsch Mini wissen.

»Schöner Vogel«, wiederholte Mini.

»Nenn ihn lieber Onkel Feder«, sagte Futsch. »So heißt er.«

»*Du* bist Onkel Feder«, sagte Mini und deutete auf Futsch.

»Nein, ich bin Futsch!«

»Nein, *ich* bin Futsch!«, behauptete Mini.

»Nein, bist du nicht!«, rief Futsch. »Du bist Farley, aber wir nennen dich Mini.«

»Nein, *das* ist Farley«, rief Mini und zeigte auf mich.
»Nein, das ist Pit!«, widersprach Futsch.
»Wer ist Pit?«, fragte Mini.
»Ich gebe auf!«, brüllte Futsch wütend.
»Nein, ich gebe auf!«, rief Mini und lachte.
»Du bist ein Spatzenhirn!«, brüllte Futsch ihn an.
»Piep, piep«, trällerte Tutzi, die gerade an Futschs Zimmertür vorbeitapste.

Es regnete das ganze Wochenende. Nicht, dass das die Howies groß gestört hätte, denn ab Samstagmorgen saßen sie nur noch wie hypnotisiert vor dem Fernseher. Ich weiß nicht genau, wie es dazu gekommen ist. Vermutlich begann es am Freitagabend, als Papa kurz den Wetterkanal einschaltete. Eudora war fasziniert. »Schau dir das an, Howie! Ist es nicht unglaublich? Man erfährt, wie das Wetter im ganzen Land ist. Sogar auf Hawaii.« Für die nächsten zwei Stunden saßen sie und Howie mit offenem Mund da und schauten den Wetterkanal. Dann bekam Howie die Fernbedienung in die Finger und das war's dann! Von wegen Gehirne in matschiges Gemüse verwandeln! Ich kam aus dem Staunen nicht mehr heraus! Soweit ich es mitbekam, sahen sie die ganze Nacht nonstop fern. Einmal stand ich kurz auf, um Pipi zu machen, und da sah ich noch immer das Flimmern im Wohnzimmer. Ich glaube, sie schauten eine Wiederholung von *Alle lieben Lucy*. Sie wollten sich ausschütten vor Lachen, als hätten sie noch nie etwas Lustigeres gesehen. Als ich schon fast eingeschlafen war, dämmerte mir, dass das vermutlich tatsächlich der Fall war.

Mama musste am Samstagmorgen arbeiten und Papa zog mit der Liste der üblichen Besorgungen los. Doch weil es so stark regnete, wollte er weder Futsch noch Tutzi mitnehmen. Mir schwante, was kommen würde. »Peter, ich werde nicht länger als eine Stunde unterwegs sein. Tutzi habe ich gerade in ihr Bettchen gelegt. Du musst also nur auf Futsch aufpassen ...«

»Keine Sorge, Pummel«, sagte Eudora gähnend. »Ich werde die Kleinen im Auge behalten.« Onkel Howie zappte sich gerade von den üblichen Samstagmorgen-Zeichentrickfilmen über den Wetterkanal, die Nachrichten bis zur Wiederholung einer Talkshow durch.

Ich ging nachsehen, was Futsch machte. Er lag in seinem Zimmer auf dem Boden und baute eine Lego-Rakete. Mini stand schon wieder auf dem Hocker und beobachtete Onkel Feder. »Schöner Vogel«, hörte ich ihn sagen.

Sobald Papa die Wohnung verlassen hatte, stellte sich Turtle vor die Wohnungstür und begann zu bellen. Das tut er immer, wenn er rausmuss. Ich hätte gleich nach dem Aufstehen mit ihm Gassi gehen sollen, aber an einem Regentag macht das natürlich keinen großen Spaß. Na ja, schließlich hatten die Howies drei Kinder – und das vierte war schon unterwegs. Da würden sie wohl ein Viertelstündchen ohne mich auskommen können.

Ich schlüpfte in meine Regenjacke und schnappte mir einen Schirm. Doch sobald Turtle im Aufzug war, spürte er, dass es draußen regnete. Fragt mich nicht, woher er das weiß, aber es ist so. Ich glaube, er kann es riechen. Er hasst Regen. In der Eingangshalle angekommen, musste ich ihn förmlich zur

Haustür zerren. Als wir in der Tür standen, begann er zu wimmern, und als ich an seiner Leine zog, legte er sich auf den Boden und rollte sich auf den Rücken, um mein Mitleid zu erregen. Er würde alles tun, nur um keine Pfote auf den nassen Gehsteig setzen zu müssen.

Henry beobachtete uns kopfschüttelnd. »Was macht der Vogel?«, fragte er.

»Nichts Neues.«

»Noch immer stumm?«

»Wie ein Fisch.«

Ich kauerte mich neben Turtle und redete leise auf ihn ein. »Hör mal, du musst dein Geschäft verrichten, ob es dir nun gefällt oder nicht. Es ist nicht gut für dich, wenn du es so lange zurückhältst.« Er drehte den Kopf weg und tat so, als hätte er nichts gehört.

Olivia Osterman bot ihm einen Hundekuchen an. »Danke«, sagte ich.

»Vielleicht wehrt er sich auch nur gegen seinen Namen«, sagte sie. »Wenn er einen richtigen Hundenamen hätte wie Rufus oder Bello …«

»Es liegt am Regen«, erklärte ich ihr. Turtle setzte sich auf und fraß den Kuchen. Verflixt, ich hätte ihn ihm erst hinterher geben sollen, sozusagen als Belohnung. Ich hielt den Schirm schützend über ihn, als ich ihn gewaltsam ins Freie zerrte. »Okay, schon gut. Du kannst es auch gleich hier machen, nur zu. Auf alle Fälle gehen wir erst wieder rein, wenn du fertig bist.«

Die längste Zeit stand er wie immer in solchen Fällen nur

störrisch am selben Fleck. Erst als ihm dämmerte, dass ich nicht daran dachte, meine Meinung zu ändern, verrichtete er schließlich sein Geschäft, allerhöchstens zwei Schritt von unserem Hochhaus entfernt. Ich schaufelte sein Häufchen in eine Hundetüte und warf sie in den Abfalleimer. Sobald wir wieder im Hausflur waren, schüttelte sich Turtle und bespritzte alles mit Wasser, besonders mich. Als wir im Aufzug zurück nach oben fuhren, schaute er mich vorwurfsvoll an, um mir klar zu machen, wie unendlich gemein es von mir gewesen war, ihn bei diesem Regen ins Freie gelotst zu haben.

Als ich unsere Wohnungstür öffnete, traf mich ein Schaumstoffball mit voller Wucht ins Gesicht. Alle rannten durch die Gegend und brüllten – Eudora im Nachthemd, Howie im Schlafanzug und auch Futsch, Mini und sogar Tutzi. »Was ist denn hier los?«, brüllte ich dann auch. Sie benahmen sich, als ginge die Welt unter. Turtle bekam Panik und rannte davon, wahrscheinlich, um sich unter meinem Bett zu verstecken.

Ich schnappte Futsch am Kragen, als er an mir vorbeirannte. »Pit!«, brüllte er. »Mini hat Onkel Feder aus dem Käfig gelassen und jetzt ist Onkel Feder durchgedreht.«

»Er darf doch nur aus dem Käfig, wenn Mama und Papa zu Hause sind!«

»Weiß ich doch!«, keuchte Futsch.

»Und wo steckt er?«, fragte ich, doch da sah ich Onkel Feder auch schon durchs Wohnzimmer düsen, während er einen Hagel von Kackekügelchen wie Miniaturbomben fallen ließ. *Platsch!* Ein gelungener Treffer auf Onkel Howies Kopf.

Platsch! Auf das Sofa. *Platsch! Platsch! Platsch!* Nun hatte er das Bücherregal, die Lampe und den Couchtisch getroffen.

Mein erster Gedanke war: Oh, da wird sich Mama aber gar nicht freuen. Doch dann dachte ich: Die Möbelstücke sind egal …, wir müssen Onkel Feder retten. Ich begann, Befehle zu brüllen: »Futsch, mach alle Türen zu außer der zu deinem Zimmer. Eudora, Rollläden herunterlassen …, rasch! Onkel Howie, wir müssen alle Spiegel abdecken!«

Ich rannte zum Schrank, in dem Mama alte Leintücher aufbewahrte, doch auf dem Weg dorthin stolperte ich über Mini, der ebenfalls hinter Onkel Feder herrannte. Er hatte beide Ärmchen ausgestreckt, als glaubte er, er könne den Vogel mit bloßen Händen einfangen. »Schöner Vogel …, schöner Vogel …«

Tutzi tapste hinter Mini her und rief dabei fröhlich: »Piep …, piep …, Vogel!«

Schließlich hatte ich mich bis zum Schrank durchgekämpft und warf Futsch ein Bettlaken zu. »Bring das Onkel Howie!« Doch Futsch hatte nichts Besseres zu tun, als sich das Laken über den Kopf zu legen und damit wie ein Halloween-Gespenst durch die Gegend zu rennen.

Und dann war es auch schon zu spät! Mit einem dumpfen Schlag donnerte Onkel Feder gegen das Küchenfenster und fiel leblos zu Boden. »Mein Vogel!«, rief Futsch entsetzt aus.

Auf einmal herrschte Totenstille in der Wohnung.

»Nicht anfassen!«, flüsterte Onkel Howie. »Ich bin für Situationen wie diese ausgebildet. Alle ganz ruhig bleiben. Futsch, hol eine Decke! Wir müssen ihn warm halten.«

Futsch eilte von dannen und kehrte gleich darauf mit der riesengroßen Tagesdecke von Mamas und Papas Doppelbett zurück.

»Etwas Kleineres«, befahl Onkel Howie.

»Ein Handtuch«, sagte ich. »Hol ein sauberes Handtuch ..., ein kleines.«

»Und eine Schachtel!«, fügte Onkel Howie hinzu.

Ich rannte in mein Zimmer, warf all meine Baseballkarten aufs Bett und eilte mit der leeren Schachtel in die Küche zurück. »Ganz behutsam«, sagte Onkel Howie. »Ganz vorsichtig aufheben.«

Onkel Feder sah schrecklich klein aus, als er nun in der Schachtel lag. So klein und reglos.

»Peter«, sagte Onkel Howie, »weißt du die Nummer eures Tierarztes?«

Mama hat die Notfallnummer einer Tierklinik, die rund um die Uhr geöffnet ist, an der Kühlschranktür hängen. Ich rannte damit zum Telefon und wählte die Nummer. Aber ich fürchte, ich war nicht sehr gut darin, die Situation zu erklären. Ich brachte nur die Schlüsselbegriffe rüber: *Beo – gegen ein Fenster geflogen – abgestürzt*. Dann fragte ich, ob es einen Krankenwagen für verletzte Tiere gäbe. Die Stimme am anderen Ende der Leitung ließ mich wissen, dass man das Tier persönlich vorbeibringen müsse.

»Wir nehmen meinen Wagen«, sagte Onkel Howie und warf sich auch schon eine Regenjacke über seinen Pyjama. »Eudora, du bleibst hier bei den Kindern. Peter, du kommst mit mir! Ich brauche einen Lotsen, der sich in dieser Stadt auskennt.«

»Vergiss die Wagenschlüssel nicht!«, rief Eudora und warf sie ihrem Gatten auch schon zu.

»Und ich?«, rief Futsch. »Es ist mein Vogel!«

»Hol deinen Regenmantel!«, sagte ich. »Aber beeil dich!«

In dem dichten Regen konnte man kaum etwas sehen, doch der Van hatte rote Blinklichter, sodass wir für die anderen gut zu sehen waren. Ich rief Onkel Howie zu, wie er fahren musste: »Durch die 65. Straße am Park vorbei ... auf die East Side ..., bleib auf der 65., bis wir zur York Avenue kommen. Es liegt in der 62. Straße zwischen der York Avenue und dem FDR Drive ...«

Futsch streichelte Onkel Feder ununterbrochen, bis wir in der Tierklinik ankamen. »Er wird doch wieder gesund, nicht wahr, Pit?«

»Hoffen wir's!«

»Er muss wieder gesund werden.«

»Du weißt doch, was ich meine.«

»Er stirbt doch nicht, oder?«

»Das weiß ich nicht, Futsch.«

»Das musst du wissen. Du bist mein großer Bruder.«

Ich bekam einen Kloß im Hals, als er das sagte, und rutschte ein Stück näher zu ihm. »Bitte, nicht sterben, Onkel Feder«, flüsterte er. Doch Onkel Feder lag immer noch reglos da.

Onkel Howie ließ uns direkt am Eingang der Klinik aussteigen. Ich trug die Schachtel mit Onkel Feder unter meiner Regenjacke. Futsch klammerte sich an meinen Ärmel. Es goss noch immer in Strömen. Futschs Tränen flossen ebenfalls in Strömen.

»Dann wollen wir mal sehen!«, sagte der Tierarzt, nachdem wir das Behandlungszimmer betreten hatten. Vorsichtig schlug er das Handtuch zurück. Onkel Feder blickte zu ihm hoch. »Nun sieh sich das einer an!«, sagte der Tierarzt, als wäre er überrascht, einen Beo zu sehen.

»Er heißt Onkel Feder«, erklärte Futsch.

»Hallo, Onkel Feder«, sagte der Tierarzt.

»Bonjour, Dummkopf.«

Im ersten Moment glaubte ich, es sei Futsch, der wieder einmal Onkel Feders Stimme nachahmte. Doch als ich den Satz ein zweites Mal hörte und dabei Futsch anschaute, sah ich, dass er seine Lippen nicht bewegte. Beim dritten Mal bestand absolut kein Zweifel mehr. *»Bonjour, Dummkopf … Dummkopf … Dummkopf …«*

Der Tierarzt lachte und sagte: »Selber Dummkopf!«

HUNDEPFOTEN

Onkel Feder hatte sich einen Flügel gebrochen. Er musste sechs Wochen lang eine Schiene tragen. Wäre er kopfüber gegen die Scheibe geflogen, wäre er vermutlich tot. Doch zum Glück ist er seitlich gegen das Fenster geknallt. Der Tierarzt hat gesagt, er sei ein Glücksvogel. Das Wort ›Glücksvogel‹ habe ich zwar noch nie gehört, es gefällt mir aber ganz gut. Jedenfalls wird Onkel Feder wieder ganz gesund. Bis dahin plappert er schon mal fleißig vor sich hin – wahrscheinlich, um die vielen Wochen nachzuholen, in denen er stumm war. Ob der Aufprall irgendwas in seinem Kopf wieder in Gang gesetzt hat? Was in einem Vogelhirn wohl vor sich geht?

Ich konnte Papa auf seinem Handy erreichen und er hat uns in der Tierklinik abgeholt. Als er ankam, sagte Howie zu ihm: »Tja, Pummel …, deine Söhne sind hervorragend mit der Situation umgegangen. Peter hat unter Beweis gestellt, dass er in Notlagen rasch denken und handeln kann, und auch Futsch blieb ruhig und war eine große Hilfe.«

Papa drückte Futsch und mich an sich. »Ich bin sehr stolz auf meine Jungs, Howie.«

»Du musst bei ihrer Erziehung irgendetwas richtig gemacht haben«, entgegnete Howie. »Obwohl ich mir nicht vorstellen kann, was es ist.«

Als wir wieder nach Hause kamen, war die Wohnung sauber und ordentlich und nirgends war mehr ein Fitzelchen Vogelkacke zu entdecken. Eudora hatte sich angezogen und machte gerade eine Ladung Sandwiches zum Mittagessen. Tutzi hielt schon ihr Mittagsschläfchen und Mini war vor dem Fernseher geparkt worden. »Ich will kein Wort des Widerspruchs hören, Howie!«, sagte Eudora mit seltener Entschlossenheit. »Er schaut den *Discovery Channel.*«

»Discovery Channel?«, wiederholte Howie. »Nun, das klingt ja recht lehrreich.«

»Ist es auch«, sagte Eudora. »Ich bin mir sicher, dass unser kleiner Farley da eine Menge lernt. Und falls du dich wunderst – ich habe Flora und Fauna erlaubt, noch eine Nacht bei den Tubmans zu bleiben.«

»Oh«, sagte Onkel Howie. »Wie ich sehe, bist du heute richtig in Fahrt.«

»Oh ja«, antwortete Eudora. »In voller Fahrt.«

Wir setzten Onkel Feder wieder in seinen Käfig und fütterten ihn mit ein paar Birnenstückchen. Zuerst schien er etwas verwirrt, aber nicht so verwirrt, dass er sich dann nicht auf die Birne gestürzt hätte. »Du bist ein Glücksvogel«, erklärte ihm Howie.

»Glücksvogel, Glücksvogel ...«, schnarrte Onkel Feder.

Mini lachte. »Vogel kann reden.«

Onkel Howie nahm Mini auf den Arm, damit er in den Käfig

schauen konnte. »Du darfst den Käfig nicht mehr aufmachen. Hast du das verstanden?«

Mini schwieg.

»Wenn du es mir nicht versprichst«, fuhr Howie fort, »dann darfst du nie mehr in Futschs Zimmer gehen und seinen Vogel anschauen.«

Mini schwieg eisern, doch dann begann er, die Wange seines Vaters zu lecken.

»Gut«, sagte Howie. »Ich bin froh, dass du das begriffen hast.«

Was soll denn das?, dachte ich verdutzt. Er glaubt, er kann Mini vertrauen, nur weil dieser ihm das Gesicht ableckt?

»Einmal, in Maine«, begann Futsch zu erzählen, »hab ich Onkel Feder auch aus dem Käfig gelassen, obwohl er eigentlich gar nicht rausgedurft hätte …«

»Dann kannst du ja verstehen, wie groß die Versuchung sein kann, nicht wahr, Futsch?«, sagte Onkel Howie. »Und du bist nicht böse auf unseren kleinen Farley, oder?«

»Er hätte es nicht tun dürfen«, sagte Futsch mit Nachdruck.

»Das stimmt«, antwortete Onkel Howie. »Farley hätte deinen Vogel nicht aus dem Käfig lassen dürfen. Aber jetzt hat er seine Lektion gelernt und wird es nie wieder tun. Hab ich Recht, Farley?«

»Glücksvogel«, sagte Mini statt einer Antwort.

»Glücksvogel … Glücksvogel …«

»Onkel Howie«, sagte ich, »vielleicht sollten wir die Regel aufstellen, dass Mini nur dann zu Onkel Feder darf, wenn jemand bei ihm ist.«

»Unter normalen Umständen würde ich sagen, dass das vernünftig klingt«, antwortete Onkel Howie. »Doch in diesem speziellen Fall halte ich es für unnötig.«

»Mini ist noch keine vier Jahre alt«, gab ich zu bedenken – für den Fall, dass Howie das vergessen hatte.

»Egal«, widersprach Onkel Howie. »Er hat es begriffen.«

Ich hingegen hatte begriffen, dass es keinen Sinn hatte, länger mit Onkel Howie zu diskutieren.

Nach dem Mittagessen zog Futsch mich beiseite und sagte: »Du, wollen wir was spielen, Pit? Wie wär's mit Spuk?«

»Nein, danke.« Es war ein Fehler von Sheila gewesen, meinem kleinen Bruder dieses Kartenspiel beizubringen. Statt einfach nur ›Spuk‹ zu rufen, wenn er keine Karten mehr hat, glaubt er nämlich, er dürfe dann spucken. Neulich hat er dieses Kartenspiel sofort seinem neuen Freund Richie Potter beigebracht und am Ende veranstalteten sie einen Weitspuck-Wettbewerb. Es war widerlich.

»Na schön«, meinte Futsch ungerührt. »Dann Mono-Polo!«

»Es gibt kein Spiel namens Mono-Polo«, erklärte ich ihm zum wiederholten Male. »Du meinst Monopoly. Aber dafür braucht man mehr als zwei Spieler, sonst ist es langweilig. Außerdem klaust du dauernd Geld von der Bank.«

»Ach, hab dich nicht so, Pit …, heute klaue ich nicht.« Futsch guckte, als könnte er kein Wässerchen trüben.

»Versprochen?«, fragte ich.

»Versprochen! Großes Indianer-Ehrenwort!«, gelobte Futsch feierlich.

Ich gab nach, weil ich fand, wenn mein kleiner Bruder jemals eine Belohnung für gutes Verhalten verdient hatte, dann heute. Außerdem wusste ich, dass das Spiel in weniger als einer Stunde vorbei sein würde. Mit Futsch Monopoly zu spielen ist so ähnlich, wie mit seinem Hund Basketball zu spielen. Er begreift einfach nicht, worum es geht, und interessiert sich nur dafür, die Schlossallee und die Parkstraße zu kaufen.

»Kauf ich!«, rief er auch jetzt, als er auf der Schlossallee landete. Die Parkstraße hatte er schon, sie war aber mit einer Hypothek belastet. »Und dann kauf ich noch zwei Hotels.«

»Du kannst erst dann Häuser oder Hotels bauen, wenn du die Hypothek bezahlt hast«, erklärte ich ihm geduldig. »Und außerdem hast du sowieso nicht mehr genügend Geld, um etwas zu kaufen.«

»Oh doch, ich hab massenhaft Geld!« Und schon zog er ein Bündel Futsch-Dukaten aus seiner Tasche.

»Wenn wir Monopoly spielen, verwenden wir nur Monopoly-Geld«, sagte ich seufzend.

»Na schön ..., dann muss ich eben kurz zum Geldautomaten.«

»Bei Monopoly gibt es keinen Geldautomaten.«

»Müsste es aber geben!«, schimpfte er.

»Gibt es aber nicht«, sagte ich.

»Gut, dann benutze ich meine Kreditkarte.«

»Was für eine Kreditkarte?«

»Die, die Großmutter mir gegeben hat.«

»Großmutter hat dir eine Kreditkarte gegeben?«, fragte ich verblüfft.

Futsch wühlte in seiner anderen Tasche und wedelte gleich darauf mit einer Kreditkarte vor meinem Gesicht herum. »Pech für dich, Pit, dass du keine gekriegt hast!«

»Lass mal sehen!« Ich riss sie ihm aus der Hand. »Diese Karte ist seit zehn Jahren abgelaufen«, erklärte ich ihm. »Großmutter hätte sie längst wegwerfen sollen.«

»Ist mir egal!«, meinte Futsch.

»Mir aber nicht. Und selbst wenn sie noch gültig wäre, könntest du sie nicht bei Monopoly verwenden. Das hier ist ein Spiel, nicht das richtige Leben.« Ich würfelte und landete auf der Bahnhofstraße, die mir bereits gehörte.

Dann war Futsch wieder an der Reihe. Während er die Würfel schüttelte, trällerte er vor sich hin: »Oh … Geld, Geld, Geld, ich liebe Geld, Geld, Geld …« Dann warf er die Würfel. Viererpasch! Er durfte acht Felder vorrücken und landete auf einem Gemeinschaftsfeld. Er durfte eine Karte abheben. »Zweiter Preis beim Schönheitswettbewerb, Pit!«, rief er triumphierend und streckte die Hand aus. »Zweihundert Dukaten, bitte!« Dann durfte er noch einmal würfeln.

Als Mama von der Arbeit kam, hatte Eudora einen großen Topf *Chili con carne* auf dem Herd stehen und der Tisch in der Essecke war schon fürs Abendessen gedeckt. Mama schien angenehm überrascht. Eudora sagte: »Das ist das Mindeste, was wir tun konnten. Ihr seid so gastfreundlich zu uns. Und dann noch die Sache mit dem Unfall …«

»Unfall?«, fragte Mama alarmiert und ihre Miene verdüsterte sich. »Was für ein Unfall?«

»Oh, Anne«, sagte Eudora bestürzt. »Tut mir Leid. Ich dachte, du wüsstest es …«

»Was wüsste ich?«, rief Mama und riss vor Schreck die Augen auf. »Geht es allen gut?«

In diesem Moment kam Futsch ins Zimmer gestürmt und sprang in Mamas Arme. »Es war Onkel Feder, Mama! Er hat sich einen Flügel gebrochen. Jetzt muss er sechs Wochen lang eine Schiene tragen. Ich habe ihn mit Pit und Onkel Howie zusammen in die Tierklinik gebracht. Hast du schon gewusst, dass es keine Krankenwagen gibt, die kranke Tiere abholen und in die Klinik fahren?«

»Flügel?«, stammelte Mama. »Aber wie …?«

Nun kam auch Papa herein. Er legte einen Arm um Mama. »Mit Onkel Feder ist bald wieder alles in Ordnung«, beruhigte er sie.

»Aber …«

»Das ist eine lange Geschichte, Schatz!«, sagte Futsch, wobei er täuschend ähnlich wie Papa klang.

Doch noch ehe Papa die Gelegenheit gehabt hätte, Mama eingehend über alles zu informieren, läutete es an der Tür. »Wer kann das sein?«, fragte Mama.

Das sagt sie immer, statt einfach die Tür zu öffnen und nachzusehen. Während sie noch überlegte, ging ich zur Wohnungstür und schaute durch den Türspion. Draußen konnte ich Jimmy und seinen Vater sehen. »Hallo!«, rief ich, als ich die Tür aufriss. »Das ist ja eine Überraschung!«

»Soll es auch sein«, meinte Jimmy trocken. Dann half er seinem Vater, einen riesigen, flachen Gegenstand in unsere

Wohnung zu schleppen, der in braunes Packpapier eingewickelt war.

»Für Sie«, sagte Mr Fargo zu Mama.

»Für mich?«, fragte Mama.

»Na ja, eigentlich eher für die ganze Familie«, meinte Mr Fargo.

»Was kann das sein?«, fragte Mama.

»Sehen Sie doch einfach nach!«, schlug Mr Fargo vor.

»Mach es auf, Mama!«, rief ich gespannt und half ihr, das braune Packpapier abzureißen.

»Oh, Mr Fargo …« Mama bekam fast keine Luft mehr, als sie sah, was sich unter dem Packpapier befand. Es war eines der Bilder von der Ausstellung – *Babyfüße Heidelbeer* –, das Originalbild, über das Tutzi im Sommer versehentlich marschiert war.

»Aber … das können wir doch nicht annehmen, ein so …«

Doch Mr Fargo ließ sie gar nicht erst ausreden. »Sehen Sie es so, Mrs Hatcher«, sagte er. »Ohne Tutzi wäre es nie zu dieser Ausstellung gekommen.«

»Das hat Papa auch gesagt!«, ließ Futsch Mr Fargo wissen.

Papa wurde rot und lachte. »Das ist ja großartig, Mr Fargo …, und äußerst großzügig.«

»Es würde wunderbar über die Couch im Wohnzimmer passen«, sagte Mama. »Wir sind schon dabei, auf ein Kunstwerk zu sparen, aber neuerdings sind wir etwas knapp, was Geld angeht …«

»Wie …, knapp, was Geld angeht?«, rief Futsch besorgt.

»Unwichtig«, sagte Mama hastig.

»Aber, Mama. Wenn es um Geld geht, muss ich es wissen.«

»Es bedeutet, dass wir nicht so einfach mit Geld um uns werfen können«, erklärte ihm Mama.

»Oder es könnte bedeuten, dass man sich etwas einschränken muss«, erklärte ich Futsch. »Und einen auf Knauser macht.«

»Vielen Dank, Peter!«, fauchte Mama und aus ihrem Ton schloss ich, dass ich mich besser nicht einmischen sollte. »Wir reden hier über eine finanzielle Situation, nicht über eine menschliche Eigenschaft.«

»Ich mag es, wenn wir über Geld reden«, erklärte Futsch unbeirrt. »Und knausern finde ich toll!«

»Ein hoffnungsloser Fall«, seufzte Mama.

»Das sehe ich«, antwortete Mr Fargo. »Also überspringen wir besser die Formalitäten und hängen das Bild gleich auf!«

Papa half Mr Fargo, *Babyfüße Heidelbeer* genau in der Mitte über der Couch zu platzieren, während Mama Anweisungen gab. »Etwas höher ..., nein, das ist zu hoch ..., rechts etwa zwei Zentimeter tiefer ..., ja, so passt's!«

Nachdem das Bild hing, traten wir alle einen Schritt zurück und bewunderten es. Eudora sagte andächtig: »Oh, es sieht aus, als sei es genau für dieses Zimmer gemalt worden.«

Onkel Howie meinte: »Liegt es an meinen Augen oder bewegen sich die Farbspiralen tatsächlich?«

»Es soll so aussehen, als bewegten sie sich«, erklärte Mr Fargo.

»Da soll mich doch ...!«, rief Howie.

Anschließend erzählte Futsch Jimmy von Onkel Feders Unfall und wir gingen in Futschs Zimmer, um nach Onkel Feder zu sehen. Dort entdeckten wir Mini auf dem Hocker vor dem Käfig stehend. »Schöner Vogel«, sagte Mini. »Glücksvogel.«

»Schöner Vogel«, wiederholte Onkel Feder. *»Glücksvogel …«*

»Oh, er redet wieder?«, sagte Jimmy erstaunt.

»Ja«, sagte ich.

»Einfach so?«

»Ja.«

»Wie kommt das?«

»Das weiß kein Mensch.«

»Kein Mensch … kein Mensch …«

»Ich schon«, meinte Mini.

Ich nahm ihn ins Visier. »Und was weißt du?«

»Warum Vogel wieder redet.«

»Und woher willst du das wissen?«

»Vogel hat es mir erzählt«, erklärte Mini.

»Der Vogel hat dir erzählt, warum er wieder redet?«, rief ich ungläubig aus.

Mini nickte.

»Und was hat er gesagt?«, erkundigte ich mich.

»Darf nicht sagen«, antwortete Mini.

»Warum nicht?«

»Hab versprochen.«

»*Wem* versprochen?«

»Vogel!«, erklärte Mini. Dann lachte er wie ein Verrückter. Er lachte genau so wie Futsch früher. Er sah Futsch sogar irgendwie ähnlich. Warum war mir das noch nie aufgefallen?

Futsch holte einen Stapel Zeichnungen von seinem Regal. Voller Stolz trug er sie ins Wohnzimmer und präsentierte sie Mr Fargo. »*Hundefüße Rot, Hundefüße Blau, Hundefüße Grün* und *Hundefüße Lila.*«

Jimmys Vater betrachtete Futschs Zeichnungen mit großem Interesse. »Sehr gut«, sagte er dann lobend. »Sehr viel versprechend.«

Neugierig ging ich ein Stück näher. Und was sah ich? Jede einzelne Zeichnung war mit Pfotenabdrücken übersät. »Moment mal!«, sagte ich zu Futsch. »Wie hast du ...?«

Futsch lachte. »War ganz einfach, Pit. Turtle hat es Spaß gemacht, über meine Bilder zu laufen.«

»Was? Du hast *meinen* Hund benutzt?«

»Willst du eines meiner Bilder kaufen, Pit? Kannst du. Sie kosten drei Nullen pro Bild.«

»Weißt du, wie viel das ist, drei Nullen?«

»Klar, Pit«, meinte Futsch voller Stolz. »Mehr als zwei Nullen.«

Jimmy fragte mich, ob ich Lust hätte, mit ihm und seinem Vater zum Essen und anschließend ins Kino zu gehen. Ich war heilfroh über die Gelegenheit, aus unserer Wohnung zu verschwinden. »Vielleicht kannst du ja auch bei uns übernachten?«, schlug Jimmy vor.

»Au ja!«, rief ich, noch ehe ich meine Eltern um Erlaubnis gefragt hatte. Ich wusste, dass sie mich gehen lassen würden. Ich wusste, sie würden begreifen, dass ich eine kleine Erholung verdient hatte.

Am nächsten Morgen fand ich Giraffenhals mit ihrem Vinny im Loft der Fargos vor. Sie machte uns überbackene Toasts zum Frühstück. »Warte, bis du sie probiert hast«, sagte Jimmy. »Es sind die besten Toasts der Welt, nicht wahr, Vinny?«

Vinny bellte zustimmend. Er schien keine Angst mehr vor mir zu haben. Er ließ sich sogar von mir streicheln.

Am Sonntagabend auf dem Heimweg erzählte mir Jimmy, dass sein Vater und Giraffenhals am nächsten Valentinstag heiraten wollten. »Und du musst auch kommen«, sagte er, »weil ich einer der Trauzeugen sein werde. Und ich habe keine Ahnung, was man als Trauzeuge tun muss.«

»Denkst du etwa, ich?«

»Nö, aber versprich mir trotzdem, dass du kommst.«

»Okay …, versprochen.«

»Danke.«

Ich hoffte, dass die Howies weg sein würden, wenn ich nach Hause käme. Und falls nicht, dass sie dann wenigstens schon ihre Sachen packten. Stattdessen waren die Naturschönheiten wieder bei uns eingezogen und alle fünf Honolulu-Hatchers lagen fein säuberlich aufgereiht in ihren Schlafsäcken und schliefen.

Aus den zwei Nächten wurden vier, aus den vier sieben. Es war die längste Woche meines Lebens, abgesehen von der, in der Futsch Dribbel, meine kleine Schildkröte, verschluckt hatte. Dann endlich sagte Papa: »Nun, Howie …, es war schön, deine Familie kennen zu lernen, aber …«

»Ich weiß, Pummel …, und es tut uns genauso Leid wie

euch, dass wir weiterziehen müssen. Ich wünschte, wir könnten noch ein Weilchen länger bleiben …«

»Aber schließlich wollt ihr noch ein bisschen durch die Staaten reisen und da gibt es vieles zu sehen«, sagte ich und hoffte, dass dem so war.

»Genau, das hatten wir ursprünglich geplant«, meinte Onkel Howie. »Aber manchmal muss man seine Pläne ändern. Und dank Henry Bevelheimer …«

Himmel, was hatte Henry Bevelheimer uns jetzt eingebrockt?

»Wir haben erfahren, dass die Chens ihre Wohnung untervermieten wollen, weil sie eine Zeit lang nach China fahren. Das bedeutet, dass wir bis zum ersten Dezember quasi eure Nachbarn sind.«

»Aber …, aber …«, stammelte ich.

»Peter, mein Junge …«, fuhr Onkel Howie fort. »Niemand weiß besser als ich, wie schwer es wäre, wenn wir uns jetzt schon auf Wiedersehen sagen müssten. Doch nun können wir zum Glück noch weitere sechs Wochen zusammen sein, wenn auch durch zehn Stockwerke voneinander getrennt.«

»Sechs Wochen!«, rief Futsch aus. »Das ist ja genauso lang, wie Onkel Feder seine Schiene tragen muss.«

Sechs Wochen!, dachte ich bestürzt. Oh nein! Entsetzt ließ ich mich auf den Boden fallen.

Futsch lachte. »Wenn Pit eine tolle Neuigkeit hört, tut er immer so, als würde er ohnmächtig!«

YELRAF ROSE

Es war herrlich, die Wohnung wieder für uns zu haben. Sie kam mir auf einmal fast riesig vor. Und so ruhig und friedlich. Früher wäre ich nie auf die Idee gekommen, dass einem das Leben mit meiner Familie friedlich vorkommen könnte. Keine lange Warterei mehr vor dem Badezimmer. Keine fünf Hotdogs mehr auf unserem Wohnzimmerboden. Da die Howies nun in die Wohnung der Chens gezogen waren, würde ich sie vermutlich kaum noch sehen. Und nicht nur das – die Naturschönheiten wollten auch gar nicht mehr mit in meine Schule kommen. Sie waren vollauf damit beschäftigt, Tag für Tag zu ihrem Tanzunterricht, ihren Gesangsstunden und ihrem Schauspielunterricht zu rennen. Super!, dachte ich mir. Endlich kann ich wieder mein altes Leben leben.

Papa schlug vor, dass wir zur Feier des Tages ins *Isola* essen gehen sollten, unserem Lieblingslokal in der Nachbarschaft. Als wir das Lokal betraten, fiel mein Blick als Erstes auf Courtney, ein Mädchen, das in einige derselben Kurse geht wie ich. Sie war ebenfalls mit ihrer Familie da. »Hallo, Peter!«, begrüßte sie mich.

»Oh, hm …, hallo, Courtney!«

»Wo sind die *Himmlischen*?«, fragte sie. »Ich hoffe, sie kommen bald mal wieder in unsere Schule. Sie sind ja soooo cool.«

»Nein, sie kommen nicht mehr.«

»Oh, wie schade.«

Ich zuckte nur mit den Schultern.

»Gut, aber sag ihnen einen schönen Gruß von mir.«

»Mach ich.«

Als ich weiterging, hörte ich Courtney zu ihren Eltern sagen: »Das war Peter Hatcher. Er ist mit den *Himmlischen Hatcher-Girls* verwandt. Hat der ein Glück!«

Sobald ich mich an unseren Tisch setzte, wollte Futsch wissen: »Ist das deine Freundin, Pit?«

»Nein, das ist nicht meine Freundin«, erklärte ich ihm. »Ich habe nämlich gar keine Freundin. Und selbst wenn, würdest du es mit Sicherheit nicht erfahren.«

»Mach dir keine Sorgen, Pit. Eines Tages wirst du schon eine finden.«

»Ich mache mir absolut keine Sorgen.«

»Weil, *sooo* hässlich bist du nun auch wieder nicht.«

»Könnte jemand diesen Zwerg hier abstellen?«, wandte ich mich an meine Eltern.

»Es reicht, Futsch!«, sagte Mama.

Tutzi hämmerte mit einem Löffel auf den Tisch. »Heicht, heicht, Fu!« Dann warf sie mir ihren Löffel zu. Er verfehlte nur knapp den Kellner, der uns gerade ein Körbchen mit Brot brachte. Futsch schnappte sich sofort eine Scheibe, pulte das

Innere heraus und stopfte es sich in den Mund. Mama reichte die Kruste an Tutzi weiter.

»Ratet mal, wer heute zu uns in die gestörte Gruppe kam?«, fragte Futsch. Sein Mund war so voll, dass man ihn kaum verstehen konnte.

»Rumpelstilzchen?«, meinte ich.

Futsch lachte.

»Lach nicht mit vollem Mund!«, sagte ich tadelnd.

»Warum nicht?«

Mama und ich antworteten beide gleichzeitig. »Weil es widerlich ist«, sagte ich. Mama hingegen sagte: »Weil du sonst ersticken könntest.«

»Ein Polizist!«, erklärte uns Futsch, sobald er gekaut und geschluckt hatte. »Der Polizist von *Achtung-vor-Fremden.* Er hat uns ein Video gezeigt und dann bekamen wir alle einen geheimen Codenamen. Diesen Codenamen dürfen wir nur unserer Familie sage. Wollt ihr meinen wissen?« Er winkte uns näher zu sich. »Ich muss flüstern, damit mich niemand hören kann.« Wir beugten uns zu ihm. »Ich bin Hcstuf Muriel«, erklärte uns Futsch. »Ist das nicht ein toller Codename?«

»Hcstuf?«, sagte ich. »Das kann ja kein Mensch aussprechen!«

»Pssst«, sagte Futsch. Dann flüsterte er wieder. »Es heißt Futsch, nur rückwärts buchstabiert.«

»Ach so ..., Futsch rückwärts. Wirklich sehr clever!«

»Und was soll dieses Muriel?«, wollte Mama wissen.

»Tja, so wird ein Codename gemacht«, erklärte Futsch. »Zuerst nimmst du deinen eigenen Namen von hinten und als Nachnamen nimmst du den Vornamen deiner Großmutter.«

»Und was, wenn du mehr als eine Großmutter hast?«, wollte ich wissen.

»Peter«, sagte Papa mahnend. »Machen wir das Ganze nicht noch komplizierter, als es schon ist.«

»Na schön, okay«, sagte ich. »Aber mir ist trotzdem nicht klar, wofür dieser Codename gut sein soll!«

»Na, für den Fall, dass jemand mich stiehlt, Pit!«

»Dich stiehlt?«, fragte ich perplex. Wer um alles in der Welt sollte auf die Idee kommen, ihn zu stehlen?

»Klar, Pit! Da kommt zum Beispiel ein Fremder und sagt zu dir: ›Deine Mutter liegt im Krankenhaus und du sollst sofort zu ihr kommen.‹«

Mama sagte hastig: »Du weißt genau, dass du niemals mit einem Fremden mitgehen sollst. Unter gar keinen Umständen!«

»Weiß ich doch«, sagte Futsch und nickte. »Ich spreche nicht mit Fremden, ich steige nicht zu Fremden ins Auto und ich helfe auch keinen Fremden, ihr Hündchen zu suchen. Keine Angst!«

»Dann ist es ja gut«, sagte Mama. Sie nahm einen großen Schluck Wasser.

»Aber es ist trotzdem gut, wenn man einen Codenamen hat«, fuhr Futsch fort. »Mal angenommen, ein Fremder kommt zu mir und sagt: ›Bitte, hilfst du mir, mein Hündchen zu suchen?‹, dann kann ich sagen: ›Und wie lautet mein Codename?‹ Und wenn er den nicht weiß, dann gehe ich nicht mit ihm.«

Darüber regte Mama sich mächtig auf. »Futsch, jetzt hör mir mal gut zu!«, sagte sie. »Es spielt überhaupt keine Rolle, was ein Fremder sagt. Es spielt keine Rolle, ob der Fremde ein Mann oder eine Frau oder ein Teenager ist. Sobald ein Fremder mit dir reden will, rufst du: ›Ich darf nicht mit Fremden reden!‹ Und dann läufst du weg, so schnell du kannst, bis du jemanden siehst, dem du vertrauen kannst – ein Polizist oder ein Lehrer oder ... oder ...«

»Ein Hund?«, fragte Futsch.

»Wau wau«, rief Tutzi vergnügt.

»Nein, kein Hund!«, sagte Mama. »Wie sollte ein Hund dir helfen können?«

»War doch nur ein Witz, Mama«, sagte Futsch.

Mama wandte sich an Papa. »Ich glaube, wir sollten uns mal mit William unterhalten, um zu erfahren, worum es da genau geht.«

»Es geht um *Achtung-vor-Fremden*, Mama!«, sagte Futsch ungeduldig. »Das hab ich euch doch schon erklärt!«

Ein paar Tage vor Halloween wurde der Aufzug in unserem Hochhaus auf Selbstbedienung umgestellt. Wir hatten schon vor Monaten erfahren, dass das geplant war. Innen sieht der Aufzug noch genauso aus wie vorher, mit der Spiegelwand und der gepolsterten Sitzbank. Doch nun steht kein Henry mehr drin, der für einen die Knöpfe drückt. Man muss selbst auf den richtigen Knopf drücken, um in das Stockwerk zu kommen, in das man fahren möchte. Henry hat gesagt, er freue sich schon auf seinen neuen Job als Hausverwalter.

Das Tollste an dem neuen Aufzug ist die winzige Videokamera. Sie soll zu unserer Sicherheit dienen, als eine Art Achtung-vor-Fremden-Schutz – wie Futsch sagen würde. Auf diese Weise kann niemand mit unserem Aufzug fahren, ohne dass Henry davon erfährt. Von dem Monitor in der Eingangshalle aus kann er genau beobachten, was im Aufzug vor sich geht. Wer sich sonst noch dafür interessiert, kann natürlich auch schauen. In den ersten Tagen blieben alle neugierig vor dem Monitor stehen.

Oh, Mrs Tubman zieht sich gerade ihren Lippenstift nach.

Ist das nicht Mr Perez, der sich seine Joggingschuhe zuschnürt?

Ooooh, die Reillys küssen sich.

Hey, Gina Golden zupft an ihrer Unterhose herum!

Es war so ähnlich wie bei *Versteckte Kamera*. Doch schon bald hatten alle mitbekommen, dass man sie im Aufzug beobachten konnte. Danach hielten die Reillys nur noch Händchen, küssten sich aber nicht mehr, und die meisten hörten damit auf, sich eingehend im Spiegel zu betrachten. Abgesehen von Futsch natürlich. Sobald er wusste, dass man ihn auf Video sehen konnte, begann er im Aufzug jedes Mal wie ein Irrer herumzuhüpfen, fuchtelte mit den Armen und schnitt die wüstesten Grimassen.

Henry berief eine Versammlung aller Kinder unseres Gebäudes ein, besonders im Hinblick auf Halloween. Die Liste mit den Wohnungen, an denen man klingeln darf, hängt jedes Jahr im Aufzug aus. Das ist das Tolle daran, wenn man in New York in einem Hochhaus wohnt. Um an Halloween an fremden Türen zu klingeln und um eine milde Gabe zu bitten, muss man gar nicht erst aus dem Haus gehen. Nicht, dass mich das noch interessieren würde. Ich klingele schon längst nicht mehr an fremden Türen. Eigentlich ein komisches Gefühl, dass ich dafür schon zu alt bin. Es erinnert mich daran, wie es war, als ich meinen ersten zweistelligen Geburtstag hatte. Zehn, sagte ich immer wieder vor mich hin, meine erste zweistellige Zahl. Jetzt werde ich für den Rest meines Lebens nur noch zweistellige Zahlen feiern können – es sei denn, ich werde über hundert. Wäre schon cool – einen dreistelligen Geburtstag feiern zu können. Olivia Osterman schafft es vielleicht. Falls ja und falls ich jemals einen anderen Hund haben sollte, werde ich ihn Bello oder Rufus nennen – ihr zu Ehren.

Bei der Kinderversammlung erinnerte Henry uns noch einmal daran, dass die Videokamera zu unserer Sicherheit und nicht zu unserem Vergnügen eingebaut worden war, und als er das sagte, blickte er Futsch streng an. Dann zeigte er uns die Knöpfe für *TÜR ÖFFNEN* und *TÜR SCHLIESSEN*. Anschließend sollten wir alle die Augen zumachen und die Zahlen und Symbole auf diesen Knöpfen ertasten. Es war alles auch in Blindenschrift, damit auch Blinde – wie Mr Willard – den Aufzug allein benutzen können. Henry sagte, falls jemand zum Spaß mit den Knöpfen herumspielt, wird ihm die Erlaubnis entzogen, den Aufzug zu benutzen. Dann zeigte er uns noch, wie wir bei einem Zwischenfall mit ihm sprechen konnten.

»Was ist ein Zwischenfall?«, fragte Futsch unweigerlich.

»Alles, was in einem Aufzug eigentlich nicht passieren dürfte«, antwortete Henry.

»Und was dürfte da nicht passieren?«

»Sagen wir es mal so, Futsch …, das Einzige, *was* in einem Aufzug passieren darf, ist, dass man den Knopf des Stockwerks drückt, in das man fahren möchte. Der Aufzug fährt los und man steigt aus. Genau wie früher, als ich noch die Knöpfe bedient habe.«

Dann testete er alle Kinder unter zwölf. Wer den Test bestand, durfte den Aufzug auch allein benutzen. Falls nicht – Pech gehabt. Dann musste man den Test noch einmal machen. Futsch bestand auf Anhieb!

»Hat Mini auch einen Codenamen?«, wollte Futsch von Eudora wissen. Wir waren im Aufzug, an einem Samstagmorgen. Eudora wollte mit Futsch und Mini in den Park gehen. Ich wollte Jimmy an der U-Bahn-Station abholen. Er durfte den ganzen Tag bei mir bleiben.

»Was für einen Codename?«, fragte Eudora zurück.

»Na, du weißt schon …«, begann Futsch. »Ein Codename eben. Damit niemand ihn stehlen kann.«

»Ihn stehlen?«, fragte Eudora alarmiert.

»Ja.«

»Farley weiß, dass er nicht mit Fremden reden darf«, erklärte Eudora. Eudora und Howie sind die Einzigen, die Mini noch Farley nennen.

»Klar, aber weiß er auch, dass er nicht mitgehen darf, wenn ein Fremder zu ihm sagt, er soll ihm helfen, sein Hündchen zu suchen? Weiß er, dass er dann schnell weglaufen muss, ganz laut schreien und sich an einen *guten* Erwachsenen wenden muss?«

Eudora griff nach Minis Hand. »Bis jetzt lasse ich ihn sowieso nie aus den Augen, wenn wir auf der Straße sind.« Sie schwieg eine Minute, dann fragte sie Futsch, ob er einen Codenamen hätte.

Futsch nickte. »Ja, aber er ist geheim. Nur meine Familie darf ihn wissen. Willst du ihn hören?«

»Hm, ja …, wir sind schließlich verwandt.«

»Ich bin Hcstuf Muriel«, verriet Futsch ihr im Flüsterton.

»Ein höchst ausgefallener Name«, meinte Eudora. »Ist es nicht ein höchst ausgefallener Name, Farley?«

»Hcstuf«, sagte Mini.

»Pssst …«, rief Futsch warnend. »Sag es ja nie mehr laut.«

»Hcstuf«, flüsterte Mini.

»Schon besser«, meinte Futsch. »Und falls ihr wissen wollt, was er bedeutet – es heißt Futsch, nur von rückwärts.«

Eudora schwieg eine Weile, dann sagte sie: »Yelraf.«

»Was?«, fragte Futsch.

»Yelraf«, wiederholte Eudora. »So heißt Farley rückwärts gelesen.«

»Dann braucht er noch einen Nachnamen. Hast du eine Mutter?«, fragte Futsch Eudora.

»Ja, aber sie ist schon tot. Sie hieß Rose.«

»Hast du gehört, Mini?«, sagte Futsch. »Dein Codename ist *Yelraf Rose*, aber das ist ein Geheimnis. Deshalb darfst du es niemandem sagen, verstanden?«

»Ich glaube, Mini ist noch zu klein, um das zu begreifen«, sagte ich zu Futsch.

»Man ist nie zu klein für einen Codenamen, Pit! Und zu alt ist man auch nie. Am besten, du denkst dir auch schon mal einen aus. Du willst ja bald allein mit der U-Bahn fahren.«

»Vielen Dank für den Tipp, Futsch.«

»Besser spät als nie! Das sagt Großmutter immer!«

Ich hätte es Futsch gegenüber zwar nie zugegeben, aber sein ganzes Gerede über diese Codenamen brachte mich auf die Idee, dass ich mir vielleicht auch einen zulegen sollte. *Hmmm ..., mal überlegen.* Ich buchstabierte meinen Namen im Kopf rückwärts. *Retep.* Dann probierte ich es noch mit meinem zweiten Vornamen und kam auf *Nerraw.* Dann fügte ich Großmutters Vornamen noch hinzu. Das ergab *Retep Nerraw Muriel.* Ein schöner Name. Doch wem konnte ich ihn sagen? Mit Sicherheit nicht Futsch, der würde ihn nur herumposaunen. Jimmy? Hm, besser nicht. Der könnte mich auslachen. Außerdem war mir noch immer nicht ganz klar, inwiefern mir ein Codename helfen würde, wenn ich in der U-Bahn oder sonst wo mal Probleme haben würde.

Sobald sich die Howies in der Wohnung der Chens häuslich eingerichtet hatten, lud Eudora uns zu einem Abendessen ein.

»Muss ich auch mit?«, fragte ich Mama.

»Ja.«

»Kannst du ihnen nicht erzählen, ich hätte Bauchschmerzen oder sonst was?«

»Nein.«

»Kann ich dann wenigstens nach dem Essen gleich wieder gehen? Ich muss nämlich noch Schularbeiten machen.«

»Du kannst gehen, wenn der Tisch abgeräumt ist«, erklärte Mama. »Aber erst, nachdem du dich höflich entschuldigt hast.«

»Ich werde sehr höflich sein. Du kannst dir nicht vorstellen, wie höflich ich sein kann, wenn ich höflich sein will. Ich werde so höflich sein ...«

»Schon gut, Peter«, sagte Mama. »Ich habe begriffen.«

Bei Tisch kamen wir natürlich über kurz oder lang auf Halloween zu sprechen. »Mini kann mit mir mitkommen«, sagte Futsch, »und von Tür zu Tür gehen.«

»Nein, er geht mit uns«, sagte Flora. »Wir waren schon immer sehr gespannt auf ...«

»Halloween«, ergänzte Fauna.

»Was soll dieses Gerede von wegen Halloween?«, fragte Howie. »Ihr kennt meine Einstellung zu Bonbons und anderen Süßigkeiten.«

»Es geht uns doch gar nicht um ...«, begann Fauna.

»... Süßigkeiten«, fuhr Flora fort. »Uns interessiert der kulturelle ...«

»... Aspekt«, sagte nun wieder Fauna. »Wir möchten es ...«

»... im Rahmen unseres Unterrichtsstoffes überprüfen.«

Mama konnte Howie beruhigen, dass der alte Halloween-Brauch, an fremden Türen zu klingeln, in unserem Gebäude völlig gefahrlos war. »Wir kennen all unsere Mitbewohner persönlich.«

»Außerdem dürfte es ganz lehrreich für unsere Töchter

sein, einen alten Halloween-Brauch kennen zu lernen, Howie«, sagte Eudora.

Onkel Howie trommelte mit den Fingern auf den Tisch. Seine Augenbrauen zogen sich zusammen. Nach einer Weile sagte er: »Na schön, aber nur dieses eine Mal. Und keine Süßigkeiten! Süßigkeiten ruinieren eure Zähne!«

»Mach dir keine Sorgen, Paps!«, versicherten ihm die Naturschönheiten im Chor.

Mir dämmerte allmählich, wie es bei ihnen funktionierte. Onkel Howie sagte erst mal grundsätzlich zu allem nein. Die Naturschönheiten begannen zu betteln. Eudora war meist auf ihrer Seite. Sie musste allerdings sehr vorsichtig vorgehen, damit Howie sich nicht überrumpelt fühlte. Doch am Ende setzten die Naturschönheiten doch fast immer ihren Kopf durch.

»Und als was geht Mini an Halloween?«, erkundigte sich Futsch.

»Mini geht als ...«, begann Flora.

»... Tiger«, sagte Fauna.

Mini knurrte.

»Oder vielleicht als ...«, begann Flora erneut.

»... Löwe«, ergänzte Fauna.

Diesmal knurrte Mini noch lauter.

»Ah, ich weiß«, rief Flora. »Er will ein ...«

»... Bär sein!«, rief Fauna, in der Hoffnung, diesmal ins Schwarze getroffen zu haben.

»Nein!«, brüllte Mini zur allgemeinen Überraschung. »Hcstuf!«

»Ein Hcstuf?«, wiederholte Flora verständnislos. »Was ist denn das?«

»Das bin ich!«, erklärte ihnen Futsch. »Mini will an Halloween als *ich* gehen!«

»Als *du*?«, riefen die Naturschönheiten wie aus einem Munde.

»Ja«, erklärte Futsch. »*Yelraf Rose* will als *Hcstuf Muriel* gehen.«

»Hat jemand die leiseste Ahnung, worum es hier geht?«, fragte Howie und kratzte sich am Hinterkopf.

»Ja, ich«, antwortete Eudora. »Und es klingt ganz vernünftig.«

Am Abend von Halloween brachten die Naturschönheiten Mini in unsere Wohnung. Futsch hatte sich bereits als Knauser verkleidet – mit einem weißen Hemd, roten Hosenträgern und seiner Dollar-Krawatte aus dem Souvenirladen der Staatlichen Druckerei in Washington. In der einen Hand trug er seinen Plastikbeutel mit den Papiergeldschnipseln, in der anderen eine leere Tüte, in die er seine Beute packen wollte.

Für Mini hatte Mama auch schon ein weißes Hemd und rote Hosenträger bereitgelegt. Da wir jedoch nur eine Dollar-Krawatte im Haus hatten, durfte Futsch Mini eine alte, grüne Krawatte aus Papas Fundus umbinden. Dann durfte Futsch sie noch mit einem Filzstift mit geflügelten Dollarscheinen bemalen. Zum Schluss drückte Mama den beiden noch einen alten Männerhut auf den Kopf. Danach machte sie ein paar Fotos – vom Knauser und seinem Doppelgänger.

Da läutete es an der Tür. Es war Melissa Beth Miller von unten. In einem Korb trug sie ihre Katze mit sich herum. Fuzzy hatte einen spitzen, schwarzen Hut auf dem Kopf. »Das ist meine Magierkatze«, erklärte sie. »Und ich bin Hermine aus ...«

»Nicht aussprechen!«, rief Futsch warnend.

»Keine Angst«, versicherte ihm Melissa. »Ich spreche seinen Namen *nie* aus.«

»Wessen Namen?«, wollte Flora wissen.

»Egal«, sagte ich schnell. Das Ganze wurde mir allmählich zu bunt.

»Okay, Pit, gehen wir!«, sagte Futsch.

»Wieso *wir*?«, fragte ich.

»Na, du musst Melissa und mich begleiten.«

»Moment mal! Ich dachte, ihr geht mit Flora und Fauna.«

»Nein, die nehmen schon Mini mit.«

»Wir können unmöglich auf mehr als *ein* Kind aufpassen«, erklärte mir Fauna.

»Weil wir uns dauernd Notizen für unseren Aufsatz machen müssen«, erklärte Flora weiter.

»Für einen Aufsatz über diesen alten amerikanischen Brauch«, ergriff Fauna nun wieder das Wort. »Wir müssen jede drei Seiten schreiben, hat Papa gesagt«, sagte Fauna.

»Schon gut«, sagte ich. »Dann nichts wie los, damit wir es möglichst rasch hinter uns haben.«

Wir fuhren mit dem Aufzug in den sechzehnten Stock hinauf, um uns von dort aus nach unten durchzuarbeiten.

An jeder Wohnungstür sangen die Naturschönheiten ein

paar Strophen aus ihrem Repertoire an New-York-Songs – *East Side, West Side, Siebenundvierzigste Straße* oder *Manhattan*. Unsere Nachbarn waren begeistert. Sie wollten die Naturschönheiten mit Süßigkeiten überschütten, was diese natürlich höflich ablehnten.

Im sechsten Stock stießen wir auf Olivia Osterman, die gerade ihre Wohnung verließ. Sie trug ein langes, rotes Cape. »Ich gehe zu einer Party«, sagte sie und hielt sich eine gefiederte Vogelmaske vor das Gesicht.

»Du siehst fast wie Onkel Feder aus, du hast nur die falsche Farbe«, ließ Futsch sie wissen.

»Ich bin eine Nachtigall, mein Schatz, kein Beo«, teilte Mrs Osterman ihm mit, während sie auf den Aufzugknopf drückte.

Die Goldens, die auch im sechsten Stock wohnen, öffneten uns die Tür. Mr und Mrs Golden und ihre Tochter Gina hatten alle drei scheußliche Masken auf. »Happy Halloween!«, trällerten sie im Chor. Sie hatten sogar Vampirzähne im Mund. Mini knurrte sie an. Und noch ehe die Naturschönheiten auch nur zwei Noten geträllert hatten, begann der Pudel der Goldens wütend Fuzzy anzubellen. Aus Angst sprang Fuzzy aus seinem Korb und rannte um sein Leben – direkt in die Wohnung der Goldens. »Fuzzy, komm sofort wieder her!«, rief Melissa und rannte ihm nach. Mrs Golden rannte hinter Melissa her und Gina hinter Mrs Golden. Und schon stand der arme Mr Golden allein da mit seiner Gruselperücke und den Vampirzähnen und umklammerte hilflos die Schale mit den Süßigkeiten.

»Wie viele?«, fragte Futsch.

»Wie viele was?«, fragte Mr Golden zurück.

»Süßigkeiten«, sagte Futsch. »Wie viele darf ich nehmen?«

»Wie wär's mit einer?«, meinte Mr Golden.

»Wie wär's mit zwei?«, fragte Futsch zurück.

»Na schön«, sagte Mr Golden. »Meinetwegen.«

»Mini hat aber keine Tüte«, sagte Futsch zu Mr Golden. »Dann pack ich die zwei für ihn auch ein.«

»Vier Schokoriegel sind aber ganz schön viele«, meinte Mr Golden.

»Nicht wirklich«, versicherte ihm Futsch. »Sie haben ja gesagt, ich kann zwei haben. Außerdem wollen Pit und Flora und Fauna keine haben. Da machst du ein gutes Geschäft.« Er griff erneut in die Schüssel. »Ich nehm besser noch die zwei für Melissa mit – falls sie sie vergisst.«

»Hey, als was bist du eigentlich verkleidet? Als Unternehmer?«, erkundigte sich Mr Golden.

»Nein, ich bin ein Knauser.« Futsch deutete auf Mini. »Und er ist mein Doppelgänger.«

»Hcstuf«, knurrte Mini.

Mr Golden schüttelte nur noch den Kopf.

Melissa konnte Fuzzy in der Wohnung nirgends finden. Deshalb bat Mrs Golden die Naturschönheiten und mich, ihr bei der Suche zu helfen. Ich weiß nicht, wie lange es dauerte, bis wir Fuzzy fanden, aber es war auf jeden Fall zu lang. Viel zu lang. Bis wir ihn endlich aufgetrieben hatten – er saß auf einem Stapel Handtücher im Badezimmerschrank –, waren Futsch und Mini längst über alle Berge.

»Haben Sie gesehen, in welche Richtung sie gegangen sind?«, fragte ich Mr Golden, der seine Schokoriegel gerade an eine andere Gruppe Kinder verteilte.

»Wer?«, fragte er.

»Die beiden Knauser«, sagte ich. Als sein Gesicht ausdruckslos blieb, fügte ich hinzu: »Die zwei Kleinen mit den roten Hosenträgern.«

»Oh, die sind schon lang weg.«

»Ups, das klingt nicht gut«, rief Flora ängstlich aus.

»Da werden wir Ärger kriegen«, sagte Fauna besorgt.

»Was machen wir jetzt?«, fragten sie dann im Chor.

Ich beschloss, das Kommando zu übernehmen. »Zuerst bringen wir Melissa nach Hause«, erklärte ich.

»Aber ich will noch an anderen Türen klingeln«, winselte Melissa.

»Du vielleicht, aber deine Katze ganz sicher nicht!«, erklärte ich ihr.

»Das ist nicht meine Katze. Er ist mein Magier.«

»Egal, für ihn ist es an der Zeit, nach Hause zu gehen.«

Ich drückte auf den Knopf des Aufzugs. Wir warteten. Und warteten. Und warteten. Schließlich sagte ich: »Kommt, wir nehmen die Treppe!«

Ich führte den kleinen Trupp zur Hintertreppe. Unterwegs stießen wir auf weitere Halloween-Gespenster. Einer der Väter sagte: »Puh, diese Treppen sind ja ganz schön anstrengend.«

Ein anderer brummte etwas über den neuen Aufzug, der nichts taugte.

»Ja, ich weiß«, sagte ich. »Wir haben im sechsten Stock gewartet, aber er kam und kam nicht.«

»Wahrscheinlich die vielen Kinder«, meinte er.

Unten in der Eingangshalle angekommen, sah ich, dass sich eine Schar von Hausbewohnern vor dem Videomonitor versammelt hatte. »Henry«, sagte ich, »Sie haben nicht zufällig …?«

Wortlos deutete er auf den Monitor.

Ich schaute auf den Bildschirm. Doch das Bild war so dunkel, dass man die Augen zusammenkneifen musste, um etwas erkennen zu können. Vage konnte man dann ahnen, dass jemand auf der Bank saß und mit einer kleinen Schlüsselanhänger-Taschenlampe blinkte. Moment mal …, war das nicht eine Vogelmaske? Der schwache Lichtschein bewegte sich weiter und landete auf Minis Gesicht.

»Was ist da los?«, fragte ich Henry.

»Der Aufzug steckt zwischen zwei Stockwerken fest«, sagte Henry.

»Oh nein!«, schrien die Naturschönheiten entsetzt auf.

Der Lichtschein bewegte sich weiter und landete auf der Kontrolltafel. Man konnte eine kleine Hand sehen, den Ausschnitt eines Gesichts. Es war Futsch!

»Können Sie nichts tun?«, fragte ich Henry.

»Pssst …«, zischte Henry. »Er versucht, die Sprechanlage zu benutzen.«

»Wir sind Hcstuf Muriel, Yelraf Rose und Aivilo Veruschka«, hörten wir da auch schon Futschs leises Stimmchen.

Aivilo?, dachte ich. Da ging mir auf, dass *Aivilo* rückwärts Olivia ergab. Ah, es war also doch Olivia Osterman!

»Der Aufzug fährt plötzlich nicht mehr«, fuhr Futsch fort. »Er fährt nicht mehr hoch und nicht mehr runter. Und außerdem ist es so dunkel hier. Und so heiß.«

Ein Raunen ging durch die Menge, die sich um den Monitor geschart hatte. »Ruhe, bitte!«, rief Henry. Dann drückte er auf einen Knopf, auf dem *SPRECHEN* stand. »Alles in Ordnung, Mrs Osterman? Bekommen Sie genügend Luft?«

»Mit ihrer Maske sieht sie aus wie ein Vogelzieher«, erklärte Futsch.

Ich stöhnte innerlich auf. Wann würde mein Bruder endlich begreifen, dass es *Vogelzüchter* hieß?

»Henry, können Sie uns hier herausholen?«, erkundigte sich Mrs Osterman sehr höflich. »Halloween ist nur einmal im Jahr, wissen Sie. Und wer weiß, ob ich nächstes Halloween noch erleben darf.«

»Hilfe ist schon unterwegs«, sagte Henry.

»Ist es die Feuerwehr?«, wollte Mrs Osterman wissen. »Ich wollte schon immer mal von diesen hübschen, kräftigen jungen Männern gerettet werden!«

»Sie müssten jeden Augenblick hier eintreffen«, versicherte ihr Henry. »Zusammen mit dem Notdienst der Aufzugsfirma.«

»Zu essen haben wir genug«, meldete sich nun Futsch wieder zu Wort. »Wir haben 47 Schokoriegel dabei.«

»Hm, lecker«, hörten wir Mini, der offenbar gerade einen verdrückte.

Die Naturschönheiten fragten Henry, ob sie kurz mit Mini reden dürften. Henry drückte wieder auf den Knopf mit *SPRECHEN*.

»Mini, ich bin's, Flora.«

»Und ich, Fauna. Wir haben dich sehr lieb. Du brauchst keine Angst zu haben.«

»Er hat keine Angst«, antwortete Futsch. »Angst hat keiner von uns.«

»Wir singen jetzt etwas«, verkündete Mrs Osterman. »Ihr seid die Ersten, die unser Lied hören dürfen.« Und schon begannen die drei Eingeschlossenen, auf die Melodie von *Frère Jacques* ein Liedlein zu trällern.

»Hcstuf Muriel, Hcstuf Muriel,
Yelraf Rose, Yelraf Rose,
Aivilo Veruschka, Aivilo Veruschka,
eins, zwei, drei,
eins, zwei, drei …«

Die Nachricht vom Steckenbleiben des Aufzugs hatte sich inzwischen im ganzen Haus verbreitet. Mama und Papa erfuhren es von ein paar Kindern, die an unserer Tür geläutet hatten. Sie kamen die ganzen zwölf Treppen nach unten gerannt. Howie und Eudora erfuhren es etwa zur selben Zeit. Entschlossen schob sich Howie durch die Menschenmenge, die inzwischen um einiges angewachsen war. »Ich übernehme ab sofort das Kommando, Henry. Ich bin Park-Ranger. Ich weiß, wie man in Notsituationen handeln muss.«

»Bedauere, Mr Hatcher«, antwortete Henry, »doch in dem hier vorliegenden Fall habe ich das Kommando. Und die Feuerwehr und der Notdienst der Aufzugsfirma sind bereits informiert. Inzwischen dürften sie eingetroffen sein.«

»Wie lange sitzen die drei schon fest?«, erkundigte sich Papa.

»So um die vierzig Minuten«, sagte Henry.

»Oh …« Eudora stöhnte und griff sich an die Stirn.

»Wasser!«, rief Mama. »Bringt bitte jemand ein Glas Wasser?« Und sie half Eudora auf einen Stuhl.

»Kann ich bitte mit meinem Sohn sprechen?«, sagte Papa.

»Aber sicher doch, Mr Hatcher.« Henry ließ Papa an die Sprechanlage.

»Hallo, Futsch …, ich bin's, Papa. Sag bitte etwas!«

»Hallo, Papa«, meldete sich Futsch sofort. »Aivilo hat uns ein tolles Spiel gezeigt.«

»Aivilo?«, fragte Papa nach.

»Das heißt ›Olivia‹ – rückwärts buchstabiert«, flüsterte ich ihm zu.

»Also …, zuerst musst du dir ein Tier ausdenken«, erzählte Futsch voller Eifer. »Und dann musst du so tun wie dieses Tier und die anderen müssen erraten, was für ein Tier du bist. Ich war ein Panda und stell dir vor – Mini hat es erraten!«

»Scheint ein interessantes Spiel zu sein«, sagte Papa. »Wie geht es Mini?«

»Er ruht sich gerade aus.« Futsch leuchtete mit Mrs Ostermans kleiner Taschenlampe auf Mini. Dieser lag ausgestreckt auf der Bank und hatte seinen Kopf auf Mrs Ostermans Schoß liegen. Sie fächelte ihm mit ihrer Vogelmaske etwas Luft zu.

»Futsch …, lass mich mal kurz mit Mrs Osterman sprechen«, sagte Papa.

»Oh, hallo, Mr Hatcher«, sagte sie. »Machen Sie sich keine Sorgen. Uns geht es gut – den Umständen entsprechend. Aber natürlich würden wir gern wieder hier rauskommen.«

»Papa …«, mischte Futsch sich nun wieder ein. »Rate mal, wie viele Schokoriegel Mini schon gegessen hat?«

»Schokoriegel?«, fragte Howie alarmiert.

»Sieben«, berichtete Futsch. »Aber jetzt hat er Bauchweh. Deshalb ruht er sich auch aus.«

Onkel Howie krallte sich die Sprechanlage. »Farley …, keine Süßigkeiten mehr, verstanden?«

Doch noch ehe Mini hätte antworten können, gingen im Aufzug auf einmal die Lichter an und das Gebläse begann zu surren.

»Aaah …«, seufzte Mrs Osterman entzückt. »Tut das gut.«

Als Nächstes sahen wir einen Mann in Uniform durch eine Luke in der Decke in den Aufzug springen. Dann hörten wir ein Geräusch und gleich darauf rief Futsch: »Er bewegt sich!«

»Wurde höchste Zeit, Sie Goldschatz …«, zwitscherte Mrs Osterman. »Höchste Zeit!«

Als sich die Aufzugtüren öffneten, führte ein gut aussehender, junger Feuerwehrmann Mrs Osterman am Arm heraus, wenig später schossen Futsch und Mini heraus. »Meine Herrschaften, machen Sie Platz für Mrs O.«, rief Henry und die wartende Menschenmenge teilte sich.

»Oh, là, là«, sagte sie. »Wie ich sehe, habe ich meine Party doch nicht verpasst. Sie scheint ja hier in der Eingangshalle stattzufinden.«

Nach diesen Worten war natürlich klar, was passieren würde. Innerhalb weniger Minuten hatten die Hausbewohner haufenweise Sachen zum Essen und Trinken angeschleppt. Dutzende maskierter Halloween-Kinder kamen dazu. Mr Reilly brachte sein Keyboard herunter. Die Naturschönheiten rannten nach oben und kamen mit ihren Tanzschuhen zurück.

Mr Willard setzte zu einem Trinkspruch an. »Auf unsere Helden des Tages, Olivia, Futsch und Mini …«

»Du meinst *Aivilo, Hcstuf* und *Yelraf*?«, rief Futsch.

»Genau«, verbesserte sich Mr Willard. »Genau die meine ich.«

Mr Reese übernahm das Wort. »Auf ihren Einfallsreichtum …«

»Und ihren Sinn für Humor!«, rief Mr Perez.

»Ein dreifaches Hoch auf Hcstuf, Yelraf und Aivilo!«

Als alle sich zuprosteten und sich freuten, öffnete sich die Haustür und die Tubmans kamen herein. Sie waren als Bären verkleidet. »Was ist denn hier los?«, fragte Sheila. »Habe ich was verpasst?«

»Oh ja«, rief Mini. »Süßigkeiten, ganz, ganz viele Süßigkeiten!«

MAN KANN NIE WISSEN …

Nach Halloween wurde es merklich kühler. Die Naturschönheiten hatten noch nie einen Winter erlebt. Wann immer ich sie traf, zitterten und bibberten sie. Mini ebenfalls. Da sie praktisch ja schon auf dem Weg nach Florida waren, hielt Onkel Howie es für überflüssig, irgendwelche Wintersachen zu kaufen. Ich hoffte insgeheim, dass sie bei dieser Kälte vielleicht bald auf die Idee kämen, New York früher als geplant zu verlassen und gen Süden zu brausen. Doch die Naturschönheiten schienen wild entschlossen, bis zum allerletzten Moment in New York zu bleiben.

Mama und Mrs Tubman kamen auf die glorreiche Idee, ein paar Kleidungsstücke für die Howies zu sammeln. Strickwesten und Jacken für die Kinder und dicke Umstandskleider für Eudora. Sie hatte ganz schön zugenommen. Man konnte deutlich sehen, dass sie schwanger war. Futsch wollte dauernd ihren Bauch anfassen. »Ist da wirklich ein Baby drin?«

»Ja«, sagte Eudora.

»Wie bei einem Panda?«

»Nein, nicht ganz wie bei einem Panda«, erklärte Eudora.

»Pandababys sind höchstens so groß wie ein Paket Butter, wenn sie geboren werden. Mein Baby wird sechs oder sieben Pfund wiegen. Du weißt doch noch, wie groß Tutzi war, als sie geboren wurde, oder?«

»Iiih, da hat sie mir nicht gefallen«, quiekte Futsch.

»Aber jetzt dafür umso mehr«, sagte Eudora.

»Aber nicht so sehr wie ein Panda.«

»Pan-da …«, trällerte Tutzi.

»Nur weiter so«, sagte Eudora. »Du plapperst schon viel für dein Alter.«

Und sie war nicht die Einzige. »Ich kann auch reden«, erklärte Mini den Naturschönheiten.

»Das wissen wir«, sagte Flora.

»Aber du brauchst es nicht …«, begann Fauna.

»… weil du ja uns hast«, ergänzte Flora.

»Nein!«, kreischte Mini.

»Was soll das heißen?«, fragte Fauna sichtlich irritiert.

»Ich glaube, er meint …«, begann Flora.

»Stopp!«, rief Mini.

»Stopp?«, wiederholte Fauna fassungslos.

»Ich kann selbst reden!«

»Will er damit sagen, dass er nicht mehr möchte, dass wir für ihn reden?«, fragte Flora.

»Willst du das sagen, Mini?«, fragte Fauna.

»Ja!«

»Hm, ich vermute, er wird langsam groß«, sagte Flora.

»Ich vermute, er ist nicht länger unser *Baby*-Bruder«, stimmte Fauna ihr zu und sie klang etwas traurig.

»Halb so schlimm«, erklärte ihnen Futsch fröhlich. »Bald habt ihr ja ein anderes Baby in eurer Familie. Wer weiß, vielleicht wird es sogar ein Pandababy.«

»Ein Pandababy?« Die Naturschönheiten lachten schallend.

»Man kann nie wissen«, sagte Futsch. »Mrs Little hat eine Maus bekommen. Und die hat sie dann Stuart genannt.«

Futschs erster Zahn begann zu wackeln. Vorne unten. Er machte schon große Pläne mit dem Geld, das ihm die Zahnfee bald unters Kopfkissen legen würde. Seit Tagen zog und zerrte Futsch nun schon an seinem lockeren Zahn herum. So auch bei unserem Abschiedsessen mit den Howies. Mama hatte auch Olivia Osterman eingeladen, damit die drei Aufzug-Helden noch einmal zusammen feiern konnten. Doch Mini interessierte sich wie immer mehr für Onkel Feder als für die Feier. Er marschierte sofort in Futschs Zimmer. Ich war erleichtert, als ich sah, dass Howie ihm folgte.

Nachdem die Naturschönheiten erfahren hatten, dass Olivia Osterman früher mal ein Broadway-Star gewesen war, wollten sie natürlich alles über ihr Leben auf der Bühne wissen. »New York ist eine magische Stadt«, erklärte sie ihnen. »Eine Stadt, in der Träume wahr werden können. In der ein Mädchen über Nacht zum Star werden kann.«

Die Naturschönheiten hatten genug gehört. »Bitte, bitte, bitte …«, bettelten sie Eudora an. »Dürfen wir bitte, bitte in New York bleiben? Du und Papa könnt ja nach Florida fahren und ab und zu kommen wir euch besuchen.«

»Kommt gar nicht infrage!«, antwortete Eudora. »Kinder in eurem Alter brauchen eine Familie.«

Mit flehentlichen Augen blickten die Naturschönheiten auf Mama.

Oh nein!, dachte ich bestürzt.

»Bitte, Tante Anne«, begann Fauna. »Wir würden euch auch kaum …«

»… zur Last fallen«, ergänzte Flora.

»Nein, nein und nochmals nein!«, sagte Eudora heftig. »Ich sprach von eurer *eigenen* Familie.«

Doch die Naturschönheiten waren nicht mehr zu bremsen. »Wir würden uns auch …«

»… um Tutzi kümmern«, sagte Fauna.

»Und was ist mit mir?«, fragte Futsch prompt. »Warum kümmert ihr euch nicht auch um mich?«

»Klar«, sagte Flora, »natürlich auch um dich.«

»Kinder!«, rief Eudora ungeduldig. »Es reicht!«

»Was reicht?«, fragte Howie, der mit Mini dazukam.

»Ach, unwichtig«, sagte Eudora.

Mama bedankte sich bei den Naturschönheiten für ihr freundliches Angebot. »Das war doch lieb von ihnen, nicht wahr, Warren?«

Papa nickte, blickte aber etwas besorgt drein, bis Mama fortfuhr: »Leider muss ich euch sagen, dass wir uns zurzeit außerstande sehen, weitere Verpflichtungen zu übernehmen.«

»Das liegt auf der Hand«, pflichtete Eudora ihr bei.

»Und außerdem sind die Winter hier in New York lang und kalt«, sagte nun Papa. »Das seid ihr nicht gewöhnt.«

»Oh, wir würden zu gern mal Schnee sehen!«, riefen die Naturschönheiten wie aus einem Munde.

»Worum geht es denn überhaupt?«, erkundigte sich Howie.

»Ums College!« Papa war blitzschnell eine gute Ausrede eingefallen. »Vielleicht können Flora und Fauna in einigen Jahren hier in New York aufs College gehen.«

»Und im Studentenwohnheim wohnen«, ergänzte ich vorsichtshalber.

»Richtig«, sagte Mama. »Das Leben in einem Studentenwohnheim ist eine interessante Erfahrung.«

Ich senkte den Kopf, damit niemand mich grinsen sah. Mama und Papa waren schlauer, als ich gedacht hätte.

»Studentenwohnheim?«, wiederholte Howie. »Na, ich weiß nicht. Inzwischen sollen da ja Männlein und Weiblein wild durcheinander wohnen.«

»Ach, wir werden sicher auch ein Studentinnenwohnheim für unsere beiden Mädchen finden«, sagte Eudora besänftigend.

Kurz danach verkündete Mama, das Abendessen sei fertig, und wir setzten uns alle an den Tisch.

»Reichen wir uns nun alle die Hände und danken dem Herrn!«, sagte Onkel Howie.

Ich hatte nicht die Absicht, ihm zu verraten, dass ich mein heutiges Dankgebet vorhin schon zum Himmel geschickt hatte.

Nun sagten wir reihum auf, wofür wir dankbar waren. Onkel Howie dankte dafür, dass er seine verschollen geglaubten Verwandten wieder gefunden hatte.

Mrs Osterman bedankte sich für ihr interessantes Leben.

Die Naturschönheiten bedankten sich, dass sie New York hatten kennen lernen dürfen.

Mini sagte: »Danke für Hcstuf!« Dann beugte er sich zu Futsch und leckte ihn am Arm, den Futsch natürlich erschrocken zurückzog.

Dann war Futsch an der Reihe. »Ich danke für alles Geld der Welt«, sagte er.

Papa seufzte. »Fällt dir wirklich nichts anderes ein?«

»Meine Spielsachen?«, schlug Futsch vor.

»Ich wette, es gibt noch andere Dinge im Leben, für die du dankbar bist«, meinte Papa.

»Ach so, *die* Sachen«, sagte Futsch und setzte prompt zu einer längeren Aufzählung an. »Ich danke dafür, dass Onkel Feder wieder sprechen kann, dass es seinem Flügel wieder besser geht, dass ich so ein kluger Junge bin und Mama und Papa mich am liebsten haben.« Bei den letzten Worten grinste er mich frech an. »Ätsch, Pit!«, fügte er noch hinzu.

»Ha, ha!«, fauchte ich zurück.

Doch er war noch nicht fertig. »Uuuund ... ich bedanke mich für das Monsterspray und für William, meinen Lehrer, und für Großmutter und Buzzy und Richie Potter ... und ... und ... und ...«

Er hörte nicht mehr auf zu quasseln, doch ich blendete mich aus und dachte an die Dinge, für die ich heute Abend dankbar war. Allerdings war nichts dabei, was ich vor den Howies oder auch den anderen laut ausgesprochen hätte. Man muss nicht alles herumposaunen. Manche Dinge behält man besser für sich. Ich vermute, dass Futsch das bisher noch nicht begriffen hat, denn er war in voller Fahrt. Im Moment bedankte er sich für seine Lieblingsbücher, seine Leibspeisen und sogar für seine Lieblingsdüfte.

Schließlich sagte Papa: »Okay, danke, Futsch. Ich glaube, wir sollten jetzt ans Essen denken. Sonst wird es kalt.«

Während des Essens fuchtelte Onkel Howie immer wieder aufgeregt mit seiner Gabel herum, während er Mrs Osterman erzählte, dass er mit seiner Familie in wenigen Tagen nach Florida in die Everglades umziehen würde.

»Florida?« Futsch wurde hellhörig. »Ist da nicht *Disney World*?«, informierte er sich. »Da möchte ich unbedingt mal hin. Ich möchte es vielleicht sogar kaufen.«

Onkel Howie legte seine Gabel weg und wischte sich den Mund an der Serviette ab. »Stimmt, Pummel, du musst uns mit deiner Familie unbedingt mal besuchen kommen. Dann zeige ich euch das richtige Florida, das von der Natur geschaffene ..., nicht die künstliche Welt von Mr Disney. Wir könnten eine Kanufahrt durch die Everglades machen. Und Alligatoren und Krokodile beobachten.« Onkel Howie wandte sich an Futsch. »Wusstest du schon, mein Kleiner, dass das der einzige Ort der Welt ist, an dem Alligatoren und Krokodile zusammen leben?«

»Und es gibt auch ganz, ganz viele Vogelarten«, sagte Fauna.

»Vögel haben wir hier in New York auch«, meinte Futsch. »Ganz viele Tauben.«

»Sei mir nicht bös, Futsch ..., aber es geht nicht um Tauben«, ergriff Howie nun wieder das Wort. »Wir reden von Flamingos und Löffelreihern ...« Er drehte sich wieder zu Papa. »Na, was meinst du, Pummel? Was hältst du davon, Weihnachten in den Everglades zu verbringen?«

»Nein, nicht Weihnachten«, rief ich erschrocken. »Weihnachten feiern wir immer hier in New York.«

»Dann im Februar«, schlug Howie vor.

»Ausgeschlossen«, sagte ich. »Im Februar kann ich nicht wegfahren. Jimmys Vater heiratet am Valentinstag und ich bin schon eingeladen.«

»Peter, wo ein Wille ist, ist auch ein Weg«, erklärte mir Onkel Howie. »Diesen Spruch hast du sicher schon mal gehört.«

»Ich schon!«, trällerte Futsch. »Von Großmutter.«

»Gut«, sagte Howie. »Dann ist es also abgemacht. Ein Familientreffen in den Everglades, noch irgendwann diesen Winter. Ihr wollt sicher mal eine Woche weg von dem Schnee und dem Eis, den heulenden Winden und dem ewig grauen Himmel.«

»Oh«, sagte Mama. »Vielen Dank für die Einladung. Wir werden es uns überlegen.«

»Vielleicht noch nicht diesen Winter«, sagte Papa. »Dann aber nächsten oder übernächsten.«

Oder in etwa fünfzig Jahren, dachte ich mir.

Zum Nachtisch gab es frisch gebackene Schoko-Brownies. Futsch biss hinein, verzog dann das Gesicht und griff sich in den Mund. »Schaut her!«, verkündete er dann feierlich und hielt einen dunklen, kleinen Gegenstand hoch. »Ein Zahn mit Schokoüberzug!«

»Gratuliere!«, rief Mrs Osterman. »Leg ihn heute Abend unter dein Kissen. Dann kommt die Zahnfee und bringt dir etwas Schönes. Aber zuerst solltest du ihn abwaschen.«

Als das Abendessen zu Ende war und Papa gerade die Teller abräumte, blickte Futsch sich auf einmal um und rief bestürzt: »Wo ist mein Zahn? Vorhin lag er noch hier! Hast du ihn weggenommen, Papa?«

»Nein«, antwortete Papa.

»Hast du ihn weggenommen, Pit?«

»Nein«, sagte ich. »Warum sollte ich?«

»Wo ist er dann?«, rief Futsch verzweifelt.

Beinahe hätte ich gesagt: *Wahrscheinlich bei deinem verlorenen Schuh und deiner grünen Murmel.* Doch das verkniff ich mir. Die grüne Murmel ist bis heute noch nicht aufgetaucht. Und soweit wir wissen, fährt der fehlende Schuh noch immer fröhlich in irgendeinem U-Bahn-Waggon durch New York.

»Vielleicht ist dein Zahn auf den Boden gefallen«, meinte Mama.

Sofort kletterte Futsch von seinem Stuhl und machte sich auf Händen und Füßen auf die Suche. Doch vergebens. »Er lag neben meinem Milchglas. Mini hat ihn auch gesehen, nicht wahr, Mini?«

Mini nickte.

»Mini«, sagte Flora, »weißt du, wo Futschs Zahn ist?«

Mini nickte erneut.

»Dann sag ihm, wo!«, bat ihn Fauna.

»Weg«, antwortete Mini.

»*Wo* weg?«, fragte ich.

Mini patschte sich auf den Bauch.

Onkel Howie lachte. »Er macht einen Witz. Nicht wahr, Farley?«

»Nein«, sagte Mini.

»Ich will meinen Zahn haben!«, erklärte ihm Futsch. »Und zwar sofort!«

Mini lachte und strich sich wieder über den Bauch.

»Was soll das heißen, Mini?«, hakte Fauna nach.

»Hcstufs Zahn.«

»Was ist mit Hcstufs Zahn?«, fragte Flora eindringlich.

Mini rutschte von seinem Stuhl und rannte um den Tisch. Dabei trällerte er: »Hm, lecker, lecker, fein ...«

Futsch stieß einen spitzen Schrei aus. »Oh nein!«

Eudora sprang vom Tisch auf. »Du hast doch nicht etwa Futschs Zahn verschluckt, oder, Farley?«

Mini raste unbeirrt weiter um den Tisch. »Hat nach Schokolade geschmeckt.«

»Mama ..., Papa ..., tut doch etwas!«, winselte Futsch.

Das klang verdächtig vertraut. Sogar *sehr, sehr* vertraut!

Wie von der Tarantel gestochen sprang Onkel Howie auf. Er packte Mini und hielt ihn mit dem Kopf nach unten.

»Howie!«, rief Eudora warnend. »Er hat doch gerade gegessen!«

Onkel Howie schlug ihm trotzdem auf den Rücken. Doch der Zahn kam nicht mehr heraus und – zum Glück – auch sonst nichts.

»Jetzt kommt die Zahnfee nicht zu mir!«, jammerte Futsch.

Wahrscheinlich hätte er Mini in Stücke gerissen, um seinen Zahn zurückzubekommen, doch die Howies verließen unsere Wohnung auf einmal so fluchtartig, als wäre ein Feuer ausgebrochen.

Sobald Mini zur Tür hinaus war, brüllte Futsch voller Zorn: »Ich hasse Mini! Zuerst mein Vogel und jetzt mein Zahn! Er ist eine einzige Katastrophe!«

»Jetzt weißt du, wie ich mich gefühlt habe«, sagte ich.

»Was meinst du, Pit?«

»Als du Dribbel, meine Schildkröte, verschluckt hast.«

Futsch dachte angestrengt nach. »Hast du mich da auch gehasst, Pit?«

»Oh ja!«

»War ich eine Katastrophe?«

»Oh ja!«

Aus dem Nebenzimmer hörten wir Onkel Feder rufen: *»Katastrophe ... Katastrophe ...«*

»Aber jetzt bin ich keine Katastrophe mehr, stimmt's?«, fragte Futsch vorsichtig.

Ich sagte lieber nichts.

»Jetzt bist du richtig froh, dass ich dein kleiner Bruder bin. Ich bin der liebste kleine Bruder, den man sich vorstellen kann, stimmt's?«

Auch hierauf wollte ich lieber nichts sagen.

»Wenn du ja sagst, zeig ich dir mein Geheimnis.«

Ich schnaubte nur. Er würde mir sein Geheimnis früher oder später ohnehin zeigen, ob ich wollte oder nicht.

Später, als wir zu Bett gingen, legte Futsch einen Zettel für die Zahnfee unter sein Kopfkissen. Mama und Papa hatten ihm geholfen, der Zahnfee einen Brief zu schreiben, in dem er die Situation erklärte.

»Pssst, Pit …«, rief er, als ich durch seine Zimmerhälfte ging.

»Was ist?«

Er winkte mich näher und zu sich an sein Bett. »Schau mal, was ich gefunden habe!« Dann zog er ein kleines Kästchen unter seinem Kissen hervor. »Schau, da drin ist mein Geheimnis.«

Vorsichtig öffnete ich das Kästchen. Im Inneren lagen viele winzige Zähnchen. »Wo hast du die her?«

»In Mamas Schlafzimmer gefunden.«

»Dann müssen das *meine* Zähne sein!«, sagte ich.

»Schon, aber woher soll die Zahnfee das wissen?«

»Oh, sie wird es merken«, sagte ich. »Und dann wird sie dir nie mehr vertrauen.«

Ich nahm das Kästchen an mich und ging damit in mein Zimmer. Dann legte ich mich ins Bett und versuchte mir vorzustellen, wie ich mich gefühlt habe, als ich so klein war wie Futsch. Vorsichtig berührte ich die kleinen Zähnchen. Anschließend legte ich das Kästchen unter mein Kissen, weil …, na ja, man kann nie wissen!

ENDE